Anke de Vries
Kladwerk

Anke de Vries

KLADWERK

Lemniscaat Rotterdam

Van Anke de Vries verschenen bij Lemniscaat

Bij ons in de straat
Wedden dat ik durf!
De vleugels van Wouter Pannekoek
Het geheim van Mories Besjoer
Belledonne kamer 16
Weg uit het verleden
Medeplichtig
De Blauwe Reus
Opstand!
Het keteldier
Kladwerk
Blauwe plekken
Memo zwijgt
Fausto Koppie

Veel van Anke de Vries' boeken werden door kinderjury's bekroond.
Mories Besjoer werd in 1976 bekroond met een Zilveren Griffel
Belledonne kamer 16
kreeg in 1978 een eervolle vermelding bij de verkiezing van
de beste Europese jeugdroman.
Kladwerk werd in 1991 bekroond door de Nederlandse Kinderjury
Blauwe plekken werd in 1993 bekroond door de Nederlandse Kinderjury

Elfde druk, 2001
CIP
Omslag: Dirk van der Maat
© Lemniscaat b.v. Rotterdam 1990
ISBN 90 6069 768 5
Druk: Drukkerij C. Haasbeek b.v., Alphen aan den Rijn

Inhoud

Geen nikkers

Er staat een politiewagen in de straat en op het schoolplein klitten de kinderen uit groep zeven verslagen bij elkaar.
'Wat is er gebeurd?' vraagt Linda.
Jerry laat de voetbal die hij altijd bij zich heeft, woedend stuiteren.
'Er is ingebroken vannacht.'
'Waar?'
'In de school. Ze hebben de computer vernield en alles volgeklad. Dat de zwarten weg moesten en zo.' Jerry, die uit Suriname komt, geeft de bal een stomp.
'Dat schrijven ze de laatste tijd overal in de buurt,' zegt Debbie.
'Volgens mij is dit het werk van een georganiseerde groep.' Het is natuurlijk Bram die dit zegt. Bram is klein en draagt grote broeken, die altijd afzakken. Ook zijn brilletje glijdt steeds naar beneden.
Bram weet ontzettend veel. Hij is lid van de bibliotheek, waar hij stapels boeken leent, en hij leest ook kranten. Daar knipt hij stukken uit, die hij in schriften plakt.
'Volgens mij is dit het werk van een goed georganiseerde rechtse bende,' herhaalt hij terwijl hij zijn broek omhoogsjort.
'Een rechte bende?' vraagt Henk, 'wa's dat nou voor onzin.'
'Rechts, niet recht,' zegt Bram. 'Als je uiterst rechts bent, wil je de buitenlanders weg hebben.'
'Doe normaal, man,' roept Henk, die er niet van houdt tegengesproken te worden. 'Ik ben ook rechts. Haast iedereen is rechts, behalve Jerry, die is links.'
'Dat is weer wat anders,' zucht Bram. 'Je hebt rechts en rechts en...'
'Links en links. Alsof ik dat niet weet. Wat heeft dat nou met die inbraak te maken,' smaalt Henk.

'Een heleboel. Het feit dat er niks gestolen is verklaart veel. Mijn idee is...'
Maar wat Brams idee is horen ze niet meer, want de bel gaat.

Als ze de gang instommelen lijkt het net of ze in een ander gebouw zijn terechtgekomen. De muren zijn volgekliederd met giftige letters.
WEG MET DE ZWARTEN, BUITENLANDERS BUITEN ONS LAND UIT en GEEN NIKKERS IN NEDERLAND.
Linda kan niet eens zo vlug lezen wat er allemaal staat. Ze loopt naast Hassan, die pas een week in Nederland is, en ze is blij dat hij het niet kan lezen.
Ze zien agenten, die bezig zijn in de kamer van meneer Sanders, de directeur.
Ook in de klas is het een puinhoop. De planten die voor het raam stonden, liggen op de grond. Tekeningen en posters zijn verscheurd, en overal staan dezelfde zinnen en scheldwoorden, deze keer in vuurrode verf; het lijkt net bloed.
Zwijgend zoekt iedereen zijn plaats op.
Hassan kijkt verbijsterd rond. Wat heeft dit allemaal te betekenen? Het lijkt wel of er gevochten is.
Meester Hans ijsbeert heen en weer voor het bord. Hij schraapt zijn keel, maar er komt niks. Dan loopt hij naar het raam en staart naar de speelplaats. Zijn rug ziet er moedeloos uit.
'Sommige dagen zou je gewoon over willen slaan,' zucht hij als hij zich omdraait. 'Hoe kun je nou zoiets doen?'
'In de buurt kladden ze ook overal, mees,' roept Jerry.
'Dat is al erg genoeg, maar dat ze nou met scholen beginnen...'
'Denkt de politie dat het dezelfde mensen zijn?' vraagt Bram.
'Ze vermoeden het, maar er is geen enkel bewijs.'
'Bij Cheng hebben ze al drie keer zijn banden doorgeprikt,' vertelt Linda. 'U weet wel, Cheng uit groep vijf.'
'En bij Achmeds vader zijn verleden week de ruiten ingegooid!'
'En ze hebben de brommer van mijn broer ook al gemold,' roept Ali.
Het is nu niet stil meer. Iedereen gilt en krijst door elkaar.
'Dat doen ze omdat wij anders zijn, hè mees? Omdat we zwart

8

zijn,' schreeuwt Jerry. 'Maar ik kan het toch niet helpen dat ik zwart geboren ben?'

'Ik heb niks tegen zwart, maar ik heb wel iets tegen die voetbal van jou in de klas. Weg met dat ding.'

Iedereen lacht, Jerry het hardst van allemaal. Hij geeft de bal aan de meester, die hem in een hoek legt.

'Nu is het corner, mees,' roept Jerry.

De stemming komt er ineens weer een beetje in.

'We gaan eerst de boel schoonmaken,' beslist meester Hans.

Zelfs Hassan begrijpt dat.

'Schoonmaken,' herhaalt hij duidelijk. Het is een woord dat hij kent, zijn vader moet kantoren schoonmaken.

Jerry en Bram worden weggestuurd om emmers, dweilen en bezems te halen.

Even later lijkt het net een grote schoonmaak.

Linda is bezig in een hoek van het lokaal. Ze veegt de aarde bij elkaar, terwijl Hassan de scherven opraapt.

Tussen de donkere aarde ziet ze opeens iets glinsteren. Het is een knoop. Als ze hem op de vensterbank wil leggen, botst Henk tegen haar op.

'Jij ook met je dikke kont,' snauwt hij.

Linda doet of ze niks hoort, maar ze wordt knalrood. Ze kan er toch ook niks aan doen dat ze aan alle kanten uitpuilt. Verward stopt ze de knoop in haar zak en veegt haastig de aarde op een blik.

Als ze naar de vuilnisbak loopt, ziet Hassan hoe Henk geniepig zijn been uitsteekt, zodat Linda struikelt. Het blik valt uit haar handen en alles komt in Debbies haar terecht.

'Wat doe je nou!' roept Debbie verontwaardigd.

'Ik... ik struikelde.' Linda krabbelt overeind en wrijft over haar knie, die behoorlijk pijn doet.

'Echt iets voor die dikke modderscheet,' grijnst Henk. Een paar kinderen grinniken mee.

Tranen springen Linda in de ogen. Dat rotjoch, het liefst zou ze hem een klap voor z'n kop verkopen.

'Jij doen... jij doen zo...' Hassan gaat voor Henk staan en steekt

zijn been uit. 'Jij doen zo met Lienda.' Zijn stem beeft van drift.
Iedereen houdt op met werken.
Die Hassan... Pas een week op school en dan al een hele zin. En
tegen Henk nog wel. Hij weet waarschijnlijk nog niet dat Henk
de grootste treiterkop van de klas is en dat je hem beter te vriend
kunt houden, want hij is sterk en staat snel klaar met zijn vuisten.
Alleen Ruud kan zich niet inhouden. 'Goed zo, Hassan, zet 'm
op z'n nummer.'
Henk geeft Hassan al een duw, maar meester Hans komt tussen-
beide en grijpt Henk in zijn kraag.
'Zo is het wel genoeg. D'r is al genoeg rotzooi getrapt,' zegt hij
kortaangebonden.
'Ik dee niks, meester.'
'Dan zal ik je wel iets te doen geven. Hier, breng die vuilniszak-
ken naar buiten en gauw.'
'Ik krijg je nog wel,' sist Henk Hassan toe, maar die begrijpt het
toch niet.
Debbie moppert nog wat na over haar haar, dat, gatsie, helemaal
smerig is en dat ze, gatsie, weer moet wassen en Linda veegt alles
opnieuw bij elkaar.
Als ze in Hassans buurt is fluistert ze: 'Goed van je Hassan. Be-
dankt.'
'Asjeblieft,' zegt Hassan.

Tussen de middag loopt Linda een eindje met Hassan mee.
Opeens blijft Hassan staan. Bij een lantaarnpaal ligt een stukje
groen glas. Hij raapt het op, poetst het schoon en stopt het in zijn
zak. Wat later vindt hij een coladopje. Ook dat verdwijnt in zijn
zak.
Zou Hassan die dingetjes verzamelen die hij op straat vindt?
vraagt Linda zich af.
Ze herinnert zich plotseling de knoop. Misschien vindt hij die
ook wel mooi. Ze haalt hem te voorschijn.
'Voor jou,' zegt ze, als ze hem overhandigt.
'Voor jou?' Hassan kijkt haar verrast aan.
'Voor mij moet je zeggen,' lacht Linda. 'Die knoop heb ik in de
klas gevonden.'

'Klas.' Hassan schijnt het te begrijpen. Er zit nog wat aarde aan de knoop. Hij poetst hem schoon en bekijkt hem aandachtig. Het is een mooie knoop met de kop van een adelaar erop. Hij lijkt wel van zilver.

'Knop,' zegt Hassan. 'Knop mooi... bedankt.'

'Asjeblieft,' zegt Linda.

Zolong

De volgende ochtend staat het allemaal in de krant. De hele buurt praat erover en op het schoolplein gonst het en zie je groepjes de krant lezen.

Op pagina drie staat een grote foto van de school met meneer Sanders, de directeur, die erg bezorgd kijkt.

' "De materiële schade is aanzienlijk," zegt hij, "maar wat me vooral verontrust zijn de uitlatingen tegen allochtonen." '

'Wat zijn dat, alloch... allochtonen?' vraagt Debbie.

'Buitenlanders,' zegt Bram.

Debbie leest het artikel hardop. Iedereen kent de inhoud al van buiten, maar ze vinden het niet erg om het nog een keer te horen. De politie staat nog steeds voor een raadsel. Is dit het werk van een paar opgeschoten jongens of steekt hier meer achter?

Meester Hans hangt het artikel op in de klas.

'De school heeft hulp nodig,' zegt de meester, 'we zoeken mensen om de muren te witten.'

'Dat kunnen wij toch doen, mees,' schreeuwt Jerry.

'Ik ben bang dat er ongelukken gebeuren als jullie op een ladder staan en dan zijn we nog verder van huis. De muren zijn veel te hoog.'

'U zou een brief kunnen opstellen waarin u om vrijwilligers vraagt,' zegt Bram. 'Dan brengen wij die wel rond.'

'Ik niet,' roept Henk, 'ik ben geen postbode.'

Meester Hans vindt de brief een goed idee. Hij begint er meteen aan. Daarna mogen Bram en Jerry hem kopiëren en iedereen krijgt er een paar mee.

Onderweg naar huis gooien Linda en Debbie de brieven ijverig in de brievenbussen. Debbie is Linda's beste vriendin. Ze heeft alles wat ik niet heb, denkt Linda vaak. Ze is dun, ze heeft krullen en ze is goed in gym. Bovendien kan ze playbacken. Alleen kletst ze veel. Daarom mogen ze niet bij elkaar zitten in de klas.

'Weet je wat ik ben?' vraagt Debbie.

'Nou?'

'Verliefd.'

'Alweer?'

'Ja, op Hassan.'

'En je was op meester Hans,' roept Linda uit.

'Dat was verleden week. En meester Hans is te oud.'

'Zei ik toch al.' Linda zucht. Ze hoopt niet dat Debbie uren gaat doorzeuren over Hassan. Dat doet ze meestal als ze verliefd is op iemand. Maar deze keer gelukkig niet. Als ze voor Debbies deur staan, vraagt ze gewoon of Linda mee naar boven gaat.

'Goed,' zegt Linda.

Ze vinden Debbies vader, die bezig is in de keuken.

'Waarom ben jij thuis?' vraagt Debbie.

'Ik pas even op Robbie.'

'Heeft mama weer rijles?'

'Nee, ze moest naar dat gehups en gespring, je weet wel,' zegt Debbies vader.

'Aerobics.'

'Ja. Waar je maar zin in hebt.'

Debbie laat haar vader de brief van de meester lezen.

'Mij kan-ie krijgen,' zegt haar vader, 'een paar uur meer of minder op een ladder maakt mij niks uit.'

Debbie geeft haar vader twee grote klapzoenen.

'Alleen daarvoor zou ik het al doen,' lacht haar vader, terwijl hij in haar wangen knijpt.

Debbies vader is schilder en behanger. Debbie is heel trots op hem, want hij heeft haar kamertje behangen met bloemetjesbehang zodat het net lijkt alsof ze in een tuin slaapt.

Ze krijgen alle twee een glas cola en een gevulde koek en Linda mag Robbie de fles geven en verschonen.

'Wat ben je toch een handig meisje,' zegt Debbies vader.

Linda krijgt een kleur van trots.

Op weg naar huis komt Linda Bram tegen.
'Ik ga nog even langs Piet,' zegt Bram.
'Dan loop ik zover met je mee,' zegt Linda.
Piet is loodgieter. Hij kijkt ontzettend scheel. Iedereen in de buurt noemt hem Schele Piet, behalve Bram.
''t Is m'n handelsmerk,' zegt Schele Piet, 'mij ken het niks schelen.'
Bram kent Schele Piet nu ruim een jaar. Ze hebben elkaar ontmoet in het theehuis van Achmeds vader, meneer Mustafa, waar Schele Piet zat te dammen. Daar is hij heel goed in, maar je moet hem wel laten winnen, want hij kan niet tegen zijn verlies.
Bram wist dat niet. Hij speelde een partijtje met hem en won.
Schele Piet keek Bram eerst heel lang aan. Hij zag een kleine jongen met een ernstig gezicht en een ernstig brilletje dat wat afzakte. Bram zag een grote man met een rug als een eikehouten kast en daarboven een kwaaie kop.
'Je hebt me bedonderd,' schreeuwde Schele Piet, 'd'r uit of ik breek je benen.'
Brams ogen knipperden even, maar hij bleef zitten.
'Ik heb u niet bedonderd,' zei hij, 'ik heb eerlijk gewonnen.'
'Je hebt me belazerd waar ik bijzat,' riep Schele Piet. Hij schoof zijn stoel krassend naar achteren.
'Kom nou, Bram,' fluisterde Achmed angstig, 'laten we naar buiten gaan.'
Bram bleef zitten, kleiner dan ooit.
'Ik heb u niet belazerd,' zei hij flink.
Schele Piet staarde Bram keihard in de ogen en Bram staarde zo hard mogelijk terug.
'We spelen nog een keer,' besliste Schele Piet.
De tweede partij duurde lang. Schele Piet dacht diep na voor zijn grote hand een damsteen verplaatste. Hij won.
'Zie je wel, zie je wel!' riep hij triomfantelijk, terwijl hij met zijn vuisten op tafel bonkte, zodat alle stenen een sprongetje maakten.
'Ja, u heeft gewonnen,' zei Bram.
Hij wilde opstaan, maar Schele Piet duwde hem terug in de stoel.

'Nog een keer,' beval hij.
'Ik moet naar huis.'
'Smoesjes. Je bent schijterig geworden.'
'Ik ben niet schijterig geworden,' zei Bram.
'Laat zien dan.'
Dat deed Bram en hij won.
Even werd het doodstil in het theehuis. Iedereen hield de adem in en keek naar Schele Piet. Zou er nog iets van Bram overblijven?
'Ik moet nu naar huis,' herhaalde Bram.
Schele Piet schoof zijn stoel gevaarlijk langzaam naar achteren. Hij hief zijn arm op en maaide alle stenen van tafel. Ze zeilden door de ruimte en een ervan kwam terecht op het hoofd van meneer Ersoz, de Turkse kapper. Achmed wilde erom lachen, maar durfde niet.
Toen stond Schele Piet op. Hij tilde Bram uit de stoel, hield hem met uitgestrekte armen voor zich uit en zette hem daarna voorzichtig op de grond.
'Ik loop zover met je mee, professor,' zei hij.
Sindsdien spelen ze dikwijls een partijtje. De ene keer wint Schele Piet, de andere keer Bram. Het komt wel eens voor dat Bram twee maal achter elkaar wint en dan gaat Schele Piet tekeer; maar Bram wacht rustig tot het voorbij is.
'Ik snap niet dat je dat pikt,' zegt Jerry wel eens, 'hij scheldt je uit voor rotte vis.'
'Piet kan niet tegen zijn verlies,' zegt Bram dan, alsof ze dat nog niet wisten...

Linda en Bram bellen aan, maar niemand doet open.
'Schele Piet is aan het klussen op nummer dertig,' weet een buurvrouw, 'die hadden een verstopte gootsteen.'
Ze gaan er samen op af.
Schele Piet doet zelf open. Hij heeft een huilend jongetje op zijn arm.
'Zet dat geluid es effe af, Kees,' roept Schele Piet, 'die meezinger kennen we nou wel.'
Het jongetje haalt diep adem voor een nieuwe uithaal.

'Dat geblèr is z'n lust en z'n leven,' schreeuwt Schele Piet erbovenuit, 'wat komen jullie doen?'

'Een brief brengen van de meester,' vertelt Bram.

'De meester? Wil die me terug in de schoolbanken?'

'Nee,' lacht Linda, 'hij heeft hulp nodig.'

'Ik zal de brief es bestuderen. Hoe is die meester van jullie?'

'Hartstikke aardig,' zeggen ze alle twee tegelijk.

Schele Piet steekt de brief in zijn zak.

'Ik moet weer terug naar m'n afvoer. En as-ie werkt spoel ik dit ettertje erdoor, hè Keessie?'

'Bèèèèè,' antwoordt Kees.

'Zolang dus,' zegt Schele Piet en tikt met z'n vingers aan z'n voorhoofd.

'Zolang,' zegt Bram. Linda weet niet wat het betekent. Het zal wel Turks of Marokkaans zijn, denkt ze.

De zenuwen

Op de hoek van de straat slaat Bram rechts af en Linda links.
Bram blijft Linda nog even nakijken en ziet hoe ze wegwaggelt.
Jammer dat ze geen jongen is. Aan meisjes begint hij voorlopig
niet, dan zit je voor je het weet tot je nek in de moeilijkheden.
Linda stapt stevig door. Ze is laat. Haar moeder zal niet weten
waar ze blijft. Gelukkig maakt ze zich zelden ongerust, daarvoor
heeft ze het te druk in de banketbakkerij.
Maar deze keer staat haar moeder ongeduldig op de uitkijk.
'Daar ben je gelukkig. Ik zat om je te springen. Hier, breng vlug
deze taart naar oma.'
'Alweer?'
'Ja, je weet hoe oma is.'
Dat weet Linda maar al te goed. Oma wil altijd meteen haar zin
hebben en haar moeder durft geen nee te zeggen.
''t Is zo'n eind,' sputtert Linda.
'Dan neem je de tram maar.'
Linda's moeder schommelt naar de gang en pakt een tramkaart,
die ze Linda in haar handen drukt.
Linda kijkt zuchtend naar de grote, platte doos. Daar loopt ze
mooi voor gek mee.
Had ze maar een vader die behanger was, zoals Debbie. En een
moeder die op aerobics zat. Dan hoefde ze geen taarten te brengen naar oma. Voorzichtig schuifelt ze de winkel uit, de straat
op.
Zie je wel, daar heb je het al. Ze is nog niet eens bij de hoek of de
eerste opmerkingen zijn al binnen.
'Ga je trakteren, wijfie?' vraagt een vrouw bij de tramhalte. Ze
heeft hetzelfde krulpermanent als het poedeltje op haar arm, dat
begerig aan de doos snuffelt.

'Deze taart is voor m'n oma,' vertelt Linda. Ze wou maar dat de tram kwam.

'Smoesjes. Die taart vreet ze zelf op, dat is d'r wel aan te zien,' grijnst een jongen met een vette kuif.

Linda haat hem op slag. Ze kijkt onverschillig de andere kant op, maar ze voelt haar wangen branden.

Daar komt de tram. Alles gaat goed. Ze vindt zelfs een plaats achterin. Voorzichtig zet ze de doos naast zich op de bank. Bij de vierde halte moet ze uitstappen.

Klingelend zet de tram zich in beweging, om wat later weer te stoppen. Mensen stappen in en stappen uit. Opnieuw slingert de tram door het verkeer, volgende halte...

Linda staart naar buiten.

Plotseling ziet ze een bekend gezicht. Debbies moeder! Ze komt uit een huis en ziet er warm uit. Haar haar zit in de war. Van de aerobics natuurlijk, denkt Linda. Zou ze in dat huis les krijgen? Er staat een bord op de deur. 'Fred Bruins, Rijinstructeur', staat erop. Dan had Debbies moeder rijles in plaats van aerobics.

Linda is zo in gedachten dat ze niet eens merkt hoe een man door het gangpad wankelt. Zijn ogen zijn bloeddoorlopen. Pas als hij vlakbij is en wil gaan zitten, kijkt ze opzij.

'Néééé...' gilt Linda.

De man laat zich met een plof zakken.

'Ik... zzze... zzze... zit,' brabbelt hij. Een wolk alcohol drijft langs haar neus.

'Mijn taart,' schreeuwt Linda.

'Wa... wabief?' Hij kijkt haar zwemmerig aan.

Linda is wanhopig. Ze wurmt zich langs de dronken man naar de uitgang.

'Hij zit op mijn taart,' roept ze nog een keer voor ze de tram uitspringt.

Het laatste wat ze hoort, is gelach.

Linda hobbelt de straat door. Haar ogen staan vol tranen. Ze ziet alles door een mist en soms botst ze tegen iemand op. Eindelijk staat ze hijgend stil.

Wat moet ze nu tegen haar moeder zeggen? Ze kan het niet verzwijgen, oma zal zeker bellen om te vragen waar de taart blijft.

Bedrukt slentert Linda verder. Hoe dichter ze bij huis komt, hoe langzamer ze gaat lopen.

Daar is de winkel al. 'Brood en Banket', staat er met slagroomletters op het raam.

Het is bijna zes uur, er zijn geen klanten in de winkel. Haar moeder sopt de toonbank af. Daarna moet de vloer nog worden gedweild.

'Ben je nu al terug?' vraagt haar moeder verbaasd.

Linda knikt.

'Doe de deur maar meteen op slot, het is toch tijd. Hoe was het met oma?'

Linda staart naar de grond.

'Ik heb haar niet gezien,' fluistert ze.

'Niet gezien? Hoezo?'

Haar moeder wacht op antwoord, maar dat komt niet.

'Wat mankeert jou? Je hebt de taart toch wel afgeleverd?'

Linda tuurt naar de granieten vloer. Het valt soms niet mee een kind te zijn.

'Er is iemand op gaan zitten,' brengt ze er ongelukkig uit.

'Wáááát?'

'Iemand is er op gaan zitten. In de tram. Hij was dronken.'

Nu zul je 't beleven, denkt Linda. Ze wacht angstig af.

Haar moeder pakt een krukje en zakt erop neer. Ze barst los in een onbedaarlijk geschater.

'Iemand-is-er-op-gaan zitten,' brengt ze eruit, terwijl de tranen over haar wangen lopen. 'Daar had ik bij willen zijn!'

Opnieuw barsten er lachsalvo's los. Linda doet opgelucht mee.

'Ik had 'm naast me op de bank gezet,' giechelt ze, 'ik keek even naar buiten, en toen stond er ineens een man... een dronken man, ha, ha. Ik gilde nog néé... maar hij zat al, ha, ha.' Ze begint het steeds leuker te vinden.

De telefoon rinkelt.

'Daar zul je oma hebben... Waar de taart blijft.' Haar moeder komt niet meer bij.

Ze gebaart naar Linda dat zij de hoorn moet opnemen.

'Ik kan het niet... ik blijf erin,' hijgt ze.

Inderdaad is het oma. 'Waar blijft de taart?' vraagt ze dringend.
'Daar is ... daar is iemand op gaan zitten,' proest Linda. Ze ziet
haar moeder over de toonbank hangen.
Het blijft even stil aan de andere kant van de lijn.
Zou oma ook gaan lachen? Nee.
'Geef me je moeder,' zegt ze met een stem van twintig graden
onder nul.

'Oma wil je spreken,' zegt Linda.
'Dacht ik wel,' hikt haar moeder. Ze veegt de tranen uit haar
ogen.
'Ja moeder...' Ze probeert vergeefs haar lachen in te houden.
'Er is wat misgelopen, ik zal het uitleggen. Linda zat in de tram
met de taart en toen ging er, ha, ha, een dronken vent op zitten,
ha, ha, ha... Wat zeg je? Of ik dat geloof? Ja-ha, natuurlijk geloof
ik dat.'
Het is even stil. Er komen scherpe geluidjes uit de hoorn. De lach
verdwijnt van haar moeders gezicht.
'Waarom zou dat kind dat verzinnen? Zoiets zuig je toch niet uit
je duim?'
Linda schudt verontwaardigd haar hoofd. Oma moet niet denken dat ze liegt.
'Nee, moeder, ik was je niet vergeten, echt niet. Maar zoals ik al
zei is er iemand op...'
Korte stilte.
'Ja, moeder, ik weet dat jij dag en nacht voor ons hebt klaarge-
staan...'
Linda ziet hoe haar moeder zich begint te krabben. Ze krijgt altijd jeuk als ze met oma praat. Het worden grote, vuurrode plekken, alsof ze in de brandnetels is gevallen.
Lange stilte. Haar moeder staart hulpeloos naar het plafond, terwijl ze doorgaat met krabben.
'Ja, moeder, misschien ben ik wel een egoïst, maar wat heeft dat
met die taart te maken? Ik kan het toch niet helpen dat een dronken idioot erop gaat zitten? Nee, het is geen smoes, ik zweer het
je.'
Linda's moeder schudt een machteloze vuist.

'Of ik je een nieuwe taart kom brengen? Eh...' Ze krabt en krabt, luistert en krabt nog harder.

'Ja, moeder, dan kom ik vanavond nog,' eindigt ze tam, 'ik beloof het. Je kunt op me rekenen. Dag moeder...'

Ze legt de hoorn neer.

''t Is m'n eigen moeder, maar ik krijg de zenuwen van 't mens. Ze geeft me een schuldgevoel waar ik niet tegenop kan. Het valt soms echt niet mee een kind te zijn.'

'Vertel mij wat,' lacht Linda.

Ze loopt naar haar moeder en slaat haar armen om haar brede, vierkante lijf. Ze zou haar voor niks willen ruilen.

Haar moeder lacht gelukkig weer een beetje.

'Ik help je wel mee de winkel schoonmaken,' zegt Linda.

'Je bent een bovenste beste.'

'En vanavond breng ik dan wel weer een taart naar oma.'

'Niks d'r van. Je gaat niet zo laat over straat, da's niet vertrouwd. Ik breng hem zelf wel. Maar 't is wel de laatste keer.'

Linda zegt niks. Ze weet wel beter.

Vandalen

Linda is vroeg vanochtend. Op weg naar school gaat ze langs Debbie, daar heeft ze tijd genoeg voor.

Debbie is wel aangekleed, maar ze moet nog ontbijten. Ze smeert een boterham op het aanrecht. Linda hoort in de slaapkamer haar broertje huilen.

'Slaapt je moeder nog?' vraagt Linda.

'Ja, die kwam gisteravond laat thuis, want ze heeft ook Engelse les.'

Linda is onder de indruk. Engels... Dat zal wel moeilijk zijn.

'Jouw moeder doet ook veel, zeg! Ik heb haar gisteren gezien toen ze van rijles kwam.'

'Aerobics zul je bedoelen. Op donderdag heeft mijn moeder altijd aerobics.'

Debbie propt haar mond vol en pakt een nieuwe boterham.

'Ze kwam bij Fred Bruins vandaan. Daar heeft ze toch rijles van?'

Debbie knikt.

'Maar gisteren had ze aerobics, hoor,' houdt ze vol.

'Ik heb je moeder echt gezien. Ik zat in de tram en...'

Linda wil het verhaal vertellen van de dronken man en de taart, als Debbies moeder gapend de keuken insloft. Ze ziet er uit als een meisje, denkt Linda. Haar haar zit in de war en ze draagt een t-shirt en een klein broekje in plaats van een pyjama, zoals haar moeder. Haar benen zijn bruin en de nagels van haar tenen vrolijk rood.

'Waarom heb je dat joch niet even uit bed gehaald?' vraagt ze geeuwend. 'Je weet dat ik op m'n nuchtere maag niet tegen dat geblèr kan.'

Ze ploft op een stoel en graait naar een pakje sigaretten.

'Daar heb ik geen tijd voor, ik moet naar school,' sputtert Debbie.

'Ja, jij lekker wel. Ik zit de hele dag maar thuis.'

Ze blaast een ontevreden rookwolk over de tafel en werpt een blik naar buiten.

'Pokkenweer ook nog,' zucht ze.

Debbie laat de hagelslag flink regenen op haar boterham.

'Schenk es een kop thee voor me in, wil je?' zegt haar moeder.

'Er is geen thee meer, die moet je kopen. Wil je melk?'

'La maar.' Haar moeder rekt zich loom uit.

'Hoe ging het met je Engels?' vraagt Debbie.

'O, goed...'

'Zeg es een paar woorden, dan kan Linda het ook horen.'

'Daar is het te vroeg voor.' Ze zuigt de rook diep naar binnen.

'Linda heeft je gisteren gezien toen je van aerobics kwam,' vertelt Debbie.

'Nee, rijles,' verbetert Linda.

'Je hebt toch nooit rijles op donderdag?'

Debbies moeder schudt van nee. Ze heeft alle aandacht bij de peuk die ze uitdrukt.

'Ik zat in de tram en toen zag ik u uit het huis van Fred Bruins komen. Daarom dacht ik dat u rijles had.'

'Dat was ik niet. Je zult je vergist hebben.'

Debbies moeder schuift haar stoel naar achteren en zegt: 'Ik zal die kleine schreeuwerd es uit bed halen, anders blijft-ie maar doorblèren.'

'En toch heb ik je moeder gezien,' houdt Linda stug vol. Ze weet het zeker ze is niet achterlijk.

'Ik denk dat je een bril nodig hebt,' lacht Debbie. Ze trekt haar jack aan en roept: 'Dag, mam!'

'Dag, mevrouw,' zegt Linda.

'Doeiii...' klinkt het mat.

Als ze op school komen zien ze Schele Piet, die bezig is met het inzetten van een nieuwe ruit. De hele klas kijkt hem op de vingers.

'Zootje ongeregeld,' scheldt Schele Piet, 'puur tuig.'

'Heeft u het tegen ons?' vraagt Jerry.
'Deze keer toevallig niet. Ik heb 't tegen die vendale.'
'Tegen wat???'
'Tegen die eh...' Schele Piet kijkt even schuin naar Bram. 'Of zeg ik het soms niet goed, professor?'
'Bijna,' antwoordt Bram voorzichtig. 'Het is vandalen.'
'Vandalen, net wat ik zeg.' Schele Piet plaatst het raam feilloos tussen de sponningen en smeert er stopverf langs.
Jerry is nog niet veel wijzer.
'Wat zijn dat?' wil hij weten.
'Dat zijn zootjes ongeregeld,' legt Schele Piet uit, 'puur tuig, nietwaar, professor?'
Bram knikt.
'De Vandalen hebben in 455 na Christus Rome veertien dagen lang geplunderd,' weet Bram.
'Precies, en toen hielden ze zich een tijdje gedeisd om nu de boel hier te komen verzieken. Laat ze niet in m'n handen vallen, want ik maak gehakt van ze.'
Ook zet Schele Piet extra sloten op de deuren en helpt hij met witten, net als Debbies vader, de neef van meneer Mustafa, en... Mariek.

Debbie is de eerste die over Mariek hoort.
Ze zit huiswerk te maken aan tafel in de kamer. Robbie ligt te jengelen in de kinderwagen en haar moeder is bezig in de keuken. Ze is net thuisgekomen.
'Lief van je om op Robbie te passen. Zeg niet tegen papa dat ik de stad in was, hoor. Hier, dit is voor jou...'
Ze drukte Debbie zomaar een rijksdaalder in de handen.
Debbie hoort haar zingen en herkent een liedje uit de top-tien.
Ze glimlacht. Leuk dat haar moeder zo vrolijk is. Dat komt de laatste tijd weinig voor.
Dan hoort ze voetstappen op de trap, haar vader. Hij heeft zijn witte overal nog aan en zijn gezicht en handen zitten vol witte verfspatten. Net witte sproeten, denkt Debbie.
Hij tilt Robbie uit de kinderwagen en houdt hem hoog boven zijn hoofd.

'Dag grote zoon van me, dag lekkere knul.' Hij knuffelt Robbie, die kraait van plezier.

Nu komt Debbie aan de beurt.

'Dag, wijfie...' Lieve, ruwe hand in haar hals, kneepje in haar wang, kusje, kusje, grote smak. Ze kent het precies en vindt het fijn. Ze is net zo'n vrijkous als haar vader.

Hij verdwijnt naar de keuken. De deur blijft op een kier.

Het zingen houdt op.

'Hè, Karel, laat nou, je ziet toch dat ik bezig ben...'

Het klinkt korzelig, pannen rammelen.

'Ik wou je alleen maar... Je ziet d'r uit om op te vreten.'

'Maar jij bent hartstikke smerig. Ga eerst douchen, we gaan zo aan tafel.'

'Ik moet straks nog witten op Debbies school. Ik was me daarna wel.'

Debbie hoort de deur van de ijskast opengaan; haar vader neemt een pilsje.

'Wat heb jij vandaag gedaan?'

'Niks bijzonders,' antwoordt haar moeder, 'huishouden, boodschappen, Robbie, je kent dat.'

Waarom vertelt haar moeder niet gewoon dat ze de stad in was?

'Ik had een zware dag,' zucht haar vader. 'Lex was weer ziek, je weet wel, die nieuwe, daar kun je niet van op aan, die heeft altijd wat. En de mensen eisen dat je je werk op tijd aflevert. Twee kamers behangen vandaag en een plafond gewit. Het liefst bleef ik een avondje thuis, maar ik heb Debbies meester beloofd dat ik zou komen, en beloofd is beloofd.'

'Ja,' zegt haar moeder, 'ik vind het wel goeiig van je dat je dat doet.'

Debbie is blij met die laatste opmerking, haar moeder zegt haast nooit meer wat liefs tegen haar vader.

'We schieten al mooi op. Schele Piet is een prima kerel en die neef van Mustafa·kan echt aanpoten. Die Mariek is trouwens ook handig met de kwast. En dat niet alleen. Ze weet ook hoe ze de meester moet aanpakken,' lacht haar vader.

Debbie spitst haar oren.

'Hoezo?'

'Volgens mij heeft ze een oogje op 'm en omgekeerd.'
'Alsof jij zoiets zou zien.' Het klinkt smalend.
'In dit geval is het niet moeilijk. Zelfs Schele Piet heeft het in de smiezen. Weet je wat-ie tegen me zei? Ik kon d'r eerst geen touw aan vastknopen. Hij zei: "Karel, dan zijn ze toch nog ergens goed voor."
"Wie?" vroeg ik. Ik dacht dat hij de meester en Mariek bedoelde.
"Die Van Dale," zegt-ie.
Ik zeg: "De Van Dale? Wat heeft een woordenboek ermee te maken?"
Hij zegt: "Woordenboek? Ik heb 't over die lui die in Rome hebben lopen rotzooien lang geleden."
Ik zeg: "Piet, jongen, daar zit je goed mis. De Van Dale is een woordenboek, daar durf ik m'n moeder om te verwedden. Vraag 't maar aan de meester."
Dat doet-ie dus. "De Van Dale is een woordenboek," zegt de meester. Had je z'n gezicht moeten zien!
"Dan heeft die professor me mooi besodemieterd," riep-ie. Niemand snapte wat-ie bedoelde en hij bleef de hele avond pisnijdig.'
'Zit die Mariek ook in 't onderwijs?'
'Nee, ze is sociaal werkster. Toen ze in de krant las wat er op school was gebeurd is ze een kijkje gaan nemen en van het een kwam het ander. Volgens mij wordt het wat tussen die twee.'
Debbie wiebelt op haar stoel van opwinding. Spannend! Meester Hans verliefd... Misschien gaat-ie wel trouwen in een koets en mag de hele klas op de bruiloft komen.
Haar opwinding verdwijnt als ze haar moeder hoort snauwen:
'He, toe Karel, laat me met rust. Deb... Debbie... Dek je de tafel? We gaan eten...'

Robbie en ruzie

Debbie zit voor de t. v. met een zak chips. Ze had eigenlijk allang in bed moeten liggen, maar er is niemand thuis. Alleen Robbie en die is erg lastig; hij blijft maar huilen. Vervelend, want er is net zo'n spannende film.

Haar vader is aan het witten op school en haar moeder wilde nog even naar tante Lena.

'Ik blijf niet lang weg. Jij past wel op Rob, hè?' zei ze voor ze vertrok.

Hè, waarom blijft Robbie nou zo huilen. Zo kan ze haar aandacht niet bij de film houden. Debbie staat op en gaat naar zijn kamertje. Hij krijst uit volle borst. Als ze hem een slokje water wil geven slaat hij tegen de beker.

'Nou is je bed ook nog nat,' moppert Debbie, 'kom dan maar, dan gaan we samen naar de film kijken.'

Dat lukt niet. Robbie gilt boven alles uit, zelfs al zet ze het geluid harder. Hij kijkt ook niet naar het beeld, zoals anders, maar maait met zijn knuistjes langs zijn oren en trappelt woest. Ze kan hem nauwelijks vasthouden.

Dan voelt Debbie zijn hoofd, dat gloeit. Zou hij koorts hebben? Ze wordt ongerust, ze zal haar moeder bellen bij tante Lena.

Vlug draait ze het nummer. Even later de stem van haar tante, die ze nauwelijks kan verstaan door het gegil.

'Met Debbie. Mag ik mama even?'

'Je moeder? Die is hier niet.'

'Hè??? Ze zei dat ze naar jou toeging.'

'Dan moet ze nog komen, maar ik heb haar vanavond niet gezien. Is er wat?'

'Jaa...' antwoordt Debbie benauwd, 'Robbie huilt zo.'

'Dat hoor ik,' zegt tante Lena, 'is je vader dan niet thuis?'

'Wat zeg je? Robbie...'

Debbie kijkt angstig naar haar broertje, dat paars ziet van het gillen.

'Is je vader niet thuis?'

'Nee, die is naar school. Hij helpt de meester met muren witten. Die hebben ze beklad, u weet wel...'

'Dus je bent alleen? Dan kom ik wel even kijken,' zegt tante Lena.

Debbie legt opgelucht de hoorn neer. Ze tilt Robbie weer op en loopt rondjes met hem door de kamer. Hij krijst aan een stuk door.

De film op de t.v. is afgelopen. Er is nu een operatie aan de gang met veel slangen en scharen. Misschien moet Robbie wel naar het ziekenhuis, is hij ernstig ziek. Het scheelt niet veel of ze gaat zelf ook huilen. Ze wou maar dat haar tante kwam.

Eindelijk, de bel...

Tante Lena is mama's zuster. Ze lijken niks op elkaar. Tante Lena is groot, hoekig en handig.

Ze pakt Robbie op en wiegt hem in haar lange armen. Meestal helpt dat, maar nu niet.

'Dat jochie heeft koorts.' Ze zet hem op schoot en bekijkt hem aandachtig. Ze ziet hoe hij met zijn handjes langs zijn gezicht wrijft.

'Volgens mij heeft-ie last van zijn oren. Ik zal de dokter even bellen.'

'Het is toch niet erg?' Debbies stem trilt. Ze ziet op de t.v. vijf witte jassen gebogen over een patiënt. Een dokter naait een wond dicht alsof het een winkelhaak is.

'Nee hoor, lieverd, maak je geen zorgen en zet alsjeblieft die televisie uit.'

Nu tante Lena er is voelt Debbie zich een stuk rustiger, ook al blijft Robbie gillen.

Een half uur later komt de dokter.

Tante Lena heeft gelijk. Het is oorpijn. De dokter schrijft een receptje en geeft Robbie iets tegen de pijn, zodat hij kan slapen. Dan gaat ze naar de apotheek om oordruppeltjes te halen en daarna blijft ze net zo lang met Robbie door de kamer lopen tot hij in slaap sukkelt.

'Jij moet ook nodig onder de wol, meisje. Het is al half elf. Kom op.'

Debbie protesteert niet. Ze kan nauwelijks meer op haar benen staan.

Tante Lena stopt haar diep onder de dekens.

'Ik blijf hier wel tot mama of papa weer thuis is. Slaap maar lekker.'

Debbie wordt wakker van harde stemmen. Waar is ze en wat is dat voor lawaai? Iets met Robbie?

Ze gaat rechtop in bed zitten en luistert met bonzend hart.

Mama en papa schreeuwen tegen elkaar. Ze stapt uit bed, het zeil is koud aan haar voeten. Heel voorzichtig doet ze de deur open.

'Hoe heb je die kinderen alleen kunnen laten!' Debbie hoort aan haar vaders stem dat hij woest is.

'Wist ik dat dat joch oorpijn had. Vanmiddag mankeerde hij niks. Had jij maar thuis moeten blijven.'

'Als je tegen me had gezegd dat je wegging had ik dat zeker gedaan. Ik wil niet dat die kinderen alleen thuis zijn. En waar zat je nu weer?'

'Waar zat je nu weer?' bauwt haar moeder hem na. 'Je lijkt m'n vader wel. Ik ben geen klein kind.'

'Een kind heeft meer verantwoordelijkheidsgevoel dan jij. Nou, waar zat je?'

'Bij een vriendin.'

'Iedere avond ben je de hort op.'

'Vin je 't gek? De hele dag zit ik thuis, de muren komen op me af. Logisch dat ik 's avonds een verzetje wil.'

'Een verzetje... Het is half twee! En niemand weet waar je uithangt. Gelukkig dat Debbie Lena belde.'

'Nou, dan is toch alles in orde, wat zit je nou te zeuren.'

'Ik wil niet dat de kinderen alleen zijn 's avonds,' herhaalt haar vader driftig.

Debbie doet de deur dicht en sluipt terug naar bed. Rillerig kruipt ze onder de dekens. De stemmen gaan nog door en dan valt er een kale stilte.

Waarom zei mama tegen haar dat ze naar tante Lena ging en

waarom mocht ze niet tegen papa zeggen dat ze de stad in was? Debbie zucht. Ze voelt zich schuldig. Als zij tante Lena niet had gebeld, hadden papa en mama nu geen ruzie. Maar wat had ze dan moeten doen met Robbie?

Mariek

De volgende ochtend probeert Debbie de ruzie te vergeten. Ze praat er ook niet over met Linda. Sommige dingen vertel je niet, zelfs niet aan je beste vriendin. Ze praat alleen over Mariek.

Voor de pauze weet de helft van de klas dat de meester verliefd is op Mariek, en in de pauze weten ze het allemaal, behalve Hassan. Die begrijpt niet waarover ze smoezen. Hij kan het ook niet aan Ali vragen, die net als hij uit Marokko komt, want die is ziek vandaag.

'Meester Hans is verliefd op Mariek,' vertelt Debbie giechelend.

Jerry wil er meer over weten. Hij stopt zelfs even met voetballen.

'Wie is Mariek?' vraagt hij.

'Weet ik niet, maar ze helpt mee muren witten.'

'Is ze een juf?'

'Nee, een werkster of zoiets,' antwoordt Debbie.

De klas fluistert en fantaseert.

'Misschien gaat-ie wel trouwen,' zegt Linda. 'Leuk, gaan we allemaal naar het stadhuis.'

'Samenwonen kan ook,' zegt Bram. Dat lijkt hem veel eenvoudiger.

Net voor ze de klas ingaan krijgt Linda een idee hoe ze Hassan moet uitleggen dat meester Hans verliefd is.

Ze tekent een hart met een pijl. Aan de ene kant zet ze meester Hans, ze weet dat Hassan dat kan lezen, en aan de andere kant schrijft ze Mariek.

'Meester meisje?' lacht hij.

Ja, knikt Linda. Zie je wel dat hij het snapt.

De klas volgt elke beweging van de meester, maar er is niets bijzonders aan hem te zien. Hij doet heel gewoon. Hij geeft zelfs zo'n moeilijk dictee, dat ze Mariek even vergeten. Behalve Hassan, die kan nog geen dictee maken.

Weet je wat? Hij zal een tekening van de meester maken, die trouwt met Mariek. In Nederland doen ze dat anders dan in Marokko. Daar vieren ze drie dagen feest en hier duurt het maar een dag; ook saai.

Hassan pakt een vel papier en begint enthousiast. Eerst de meester, in een zwart pak en glimmende schoenen. Een hoge hoed in zijn hand, dat hoort erbij. Zo, nu de bril nog. De meester is af. Nu Mariek. Hoe zou die er uitzien? Dun of mooi dik, zoals Linda?

Hassan kauwt op zijn potlood. Hij begint aarzelend, maar het gaat steeds beter. Mariek bevalt hem ook; alles is rond en blond aan haar. Haar mond lacht, maar haar ogen kijken ernstig op deze belangrijke dag. De witte jurk waaiert en hij geeft haar ook een bruidsboeket en een sluier. Die is heel lang. Hij sleept een eind achter de meester langs, tot in de linkerbovenhoek.

Zo, Hassan is bijna klaar. Nu de namen nog. Dat is moeilijk. Het puntje van zijn tong steekt uit zijn mond als hij moeizaam schrijft: Meester en Mariek.

Hassan zucht tevreden.

Voorzichtig raakt hij Linda's arm aan. Linda werpt een blik op de tekening en wordt knalrood.

Hassan heeft de meester en Mariek getekend als bruidspaar. De meester ziet er knap uit, maar Mariek is heel dik. Doet hij dat om haar te pesten?

Linda slikt en in haar verwarring veegt ze de tekening van tafel. Die schuift over de grond en blijft liggen naast de bank van Ruud.

Ruud kijkt naar de meester, die merkt niks. Vlug raapt hij de tekening op.

Hij grinnikt en geeft hem door.

Het wordt onrustig in de klas. Er wordt gegniffeld en gefluisterd. De meester kijkt op: het is weer stil.

Opnieuw wordt de tekening doorgegeven - aan Jerry deze keer. Die begint te lachen. Hij probeert het nog in te houden, maar het lukt niet. Dubbelgevouwen hangt hij over de tafel.

'Ze hebben toch geen ongeluk gehad?'

'Nee... nee... dat is het niet. Ze zijn bij Fred Bruins, in zijn hui... hui... huis,' huilt Debbie. 'Ze blijven daar.'

Linda staart Debbie ongelovig aan.

'Bedoel je dat... bedoel je...'

Ja, knikt Debbie. Ze staat op om haar neus te snuiten in de theedoek.

'Toen ik gisteren thuiskwam waren ze weg. Het bedje en de box, en ook de wandelwagen, en alle spullen van Robbie, en mama's kleren.'

Linda kan het nauwelijks geloven.

'En je vader dan?'

Linda heeft al spijt van haar vraag, want Debbie barst opnieuw in snikken uit.

'Papa en mama hadden steeds ruzie omdat mama nooit thuis was. En nu is ze helemaal weg... met Robbie nog wel... en papa huilde ook, die snapt er niks van. Mama heeft een brief geschreven en daarin stond dat ze niet meer van papa hield, maar wel van die vent.'

'En je vader is net zo aardig,' roept Linda verontwaardigd uit.

Debbie knikt en snuit de theedoek vol.

'En nu ben ik dus alleen,' bibbert haar stem.

Linda wordt er stil van. Ze herinnert zich opeens dat ze Debbies moeder een tijdje geleden uit het huis van Fred Bruins zag komen en toen beweerde ze dat dat niet zo was.

'Wat gaat je vader nu doen?'

'Weet ik niet. Gisteravond heeft-ie opgebeld, maar toen kwam die vent aan de lijn en toen begon papa te schelden en toen werd de hoorn neergelegd. Mama wilde niet met hem praten. Papa heeft niet geslapen vannacht en ik ook haast niet. Hij moest vanochtend naar zijn werk en ik zei dat ik naar school ging, maar ik ga niet, want ik moet steeds huilen.'

De klok in de gang slaat negen keer. Ze komen te laat op school, maar dat kan Linda niets meer schelen. Debbie is haar beste vriendin en die moet ze troosten.

'Misschien komt je moeder wel terug,' probeert ze Debbie op te beuren. 'Ze kan je toch niet in de steek laten.'

'Maar ze doet het wel!' jammert Debbie, 'Robbie neemt ze mee en mij laat ze achter.'

'Ze vond het vast zielig voor je vader dat-ie anders zo alleen bleef,' zegt Linda vlug.

'Denk je?' Debbie kijkt haar hulpeloos aan. 'Ze hadden zoveel ruzie de laatste tijd,' zucht ze.

'Waarom heb je daar niks van verteld?'

Debbie haalt haar schouders op. 'Ik hoopte dat het over zou gaan. En jij zou het toch niet begrijpen. Bij jullie maken ze nooit ruzie. Jouw moeder is heel leuk en gezellig.'

Linda knikt. Ja, dat is waar. Haar moeder kan wel eens boos worden, maar nooit lang. En ze is lief, net als haar vader trouwens. Ze is ineens erg blij met haar moeder, ook al is ze vierkant. Ze heeft tien keer liever een dikke moeder dan een mooie dunne die wegloopt.

'Ik blijf bij je vanochtend,' zegt Linda vastbesloten, 'ik laat je niet alleen.'

En daarop begint Debbie weer te huilen.

De hele klas weet het van Debbies moeder, maar niemand praat erover waar Debbie bij is.

Linda vindt Debbie af en toe heel moeilijk doen. Het is maar goed dat ze haar beste vriendin is, anders zou ze nooit zo'n geduld met haar hebben. Het ene moment doet ze gewoon en vijf minuten later loopt ze te schelden. In de klas zit ze te suffen, maar meester Hans zegt er niks van.

Op een ochtend komt het tot een uitbarsting.

Het is pauze en de klas stroomt naar buiten, het speelplein op. Ranah heeft een poëziealbum bij zich en wil graag dat Debbie er wat in schrijft.

Debbie leest eerst alle versjes.

Dan komt Henk aanslenteren met een zak drop. Smakkend gluurt hij over Debbies schouder om mee te lezen, maar Ranah klapt het poëziealbum dicht en zegt: 'Gaat je niks aan wat erin staat.'

'Dacht je dat die flauwekul mij interesseert,' smaalt Henk. 'Dropje?'

Hij geeft Debbie er een, die hem in haar mond stopt. Linda en Ranah steken ook hun hand uit.

'Nee, da's niet goed voor jullie. Anders wordt Ranah nog zwarter en Linda dikker.'

Debbie spuugt het dropje uit. 'Rot op met je drop,' snauwt ze.

'Zonde,' vindt Henk, 'wist je trouwens dat mijn moeder is geslaagd voor haar rijbewijs?'

Hij liegt, zijn moeder kan niet eens autorijden.

Debbie doet net of ze het niet hoort en wil weglopen, maar Henk pakt haar arm beet.

'Ze had les van Fred Bruins,' grijnst hij, 'da's toch je vader?'

Debbie wordt knalrood en Linda kleurt mee van schrik.

Ze ziet hoe Debbie Henk aanvliegt, maar ze heeft geen schijn van kans. Henk draait gemeen haar arm om zodat ze gilt van pijn.

Het duurt niet lang, want Jerry en Ali springen op Henks nek en dan moet hij haar wel loslaten.

Meester Hans komt ook al aanrennen.

'Die griet begon me zomaar te slaan,' schreeuwt Henk. 'Ik gaf d'r een dropje en toen ging ze meppen. En toen begonnen die zwarten ook nog.'

'Naar de klas, schiet op,' zegt meester Hans. Hij geeft Henk een duw in de richting van de schooldeur.

'Ik dee niks,' jammert Henk, maar niemand heeft medelijden met hem.

Debbie staat te huilen. Meester Hans neemt haar mee naar binnen en geeft haar een zakdoek en een glaasje water.

'Henk is een rotjoch,' snikt Debbie, 'hij draaide m'n arm om.'

De meester laat haar rustig uithuilen.

'Hij zei dat Fred Bruins m'n vader was,' snottert ze, 'en dat is hij niet.'

De meester zwijgt en wacht tot ze wat bedaart.

'Mijn moeder is weg,' bibbert Debbies stem, 'en Robbie ook.'

'Ja, dat weet ik,' zegt de meester. 'Dat zal wel heel moeilijk voor je zijn.'

'Ja, ik mis ze zo,' snuft Debbie zielig. 'Ik mis ze eigenlijk elke dag meer.'

Meester Hans aait even over haar hoofd.

'Ik vind het ellendig voor je,' zegt hij, 'voor jullie allemaal.'

'Ook voor mama?' vraagt ze beverig.

'Ja, ook voor je moeder. Die zal het heus niet zo makkelijk krijgen.'

'Iedereen vindt mijn moeder een rotmens, omdat ze papa en mij in de steek laat,' snikt Debbie weer. 'Maar mama is geen rotmens, ze is ook lief.'

'Dat geloof ik best.'

'Ze heeft gisteren opgebeld, toen ik alleen thuis was,' vertelt Debbie trillerig, 'en toen zei ze... ze zei dat het niet meer ging tussen papa en haar en ze vroeg of ik... of ik haar kwam opzoeken, want zij mist me ook.'

Debbie veegt over haar ogen.

'Ik durf niks tegen papa te zeggen... die... die wil niet over mama praten en als-ie toch over mama praat wordt-ie heel boos.'

'Ik denk dat hij veel verdriet heeft. Dan kun je soms moeilijk praten, en vaak word je ook boos uit onmacht.'

'Ik word soms ook heel boos,' bekent Debbie, 'zoals op Henk daarnet.'

De meester knikt. Ze kijken elkaar een tijdje aan.

Dan gaat de bel, de pauze is voorbij.

'Jammer,' zegt Debbie.

Meester Hans legt even zijn handen op haar schouders.

'Ik vind je een heel flink meisje,' zegt hij.

'Maar ik voel me helemaal niet flink. Ik voel me alleen maar rottig.'

Debbie snuit beverig haar neus.

'Daarom vind ik je juist zo flink,' zegt de meester.

Debbie snapt het niet helemaal, maar ze vindt het wel leuk dat te horen.

Samen lopen ze naar de klas.

Als de school uitgaat zegt meester Hans: 'Henk, wil je even nablijven?'

'Waarom?' vraagt Henk, half brutaal, half achterdochtig.

'Daarom,' antwoordt de meester.

Henk blijft nukkig zitten. Strafwerk waarschijnlijk. Debbie heeft zitten klikken, zul je zien. Hij krijgt die meid nog wel.

Als de meester terugkomt, gaat hij tegenover Henk aan het tafeltje zitten.

'Ik wou je wat vragen,' zegt hij.

Henk wacht. Hij schopt met zijn voet tegen de poot van de tafel.

'Waarom noem jij Jerry, Ali en Achmed altijd "die zwarten"?'

'Zijn ze toch?' Henk kijkt de meester uitdagend aan.

'Ja. Jerry zeker. Ali en Achmed zijn donker. Maar jij bedoelt het duidelijk als scheldwoord.'

Henk haalt onverschillig zijn schouders op.

'Heb je soms een hekel aan Jerry of Achmed?'

Henks voet bonkt weer tegen de tafelpoot.

'Alleen als ze zitten te klieren,' mompelt hij.

'Zoals vanochtend op het schoolplein.'

'Ja.'

'Ze kwamen voor Debbie op.'

'Ze hoeven zich d'r niet mee te bemoeien. Dat doen ze alleen om rotzooi te trappen.'

'Wie "ze"?'

'Die Turken en Marokkanen. En de Surinamers.'

'Hoezo?'

'Nou, die Turken boven ons trappen ook altijd rotzooi. En ze maken hartstikke veel herrie en daar krijgt m'n moeder koppijn van. M'n vader heeft al een paar keer de politie d'r op afgestuurd, maar het helpt niks.'

'Hoe lang wonen die daar?'

'Acht maanden. Eerst zaten daar Nederlanders, net als wij, maar die gingen weg omdat ze niet meer tussen al die zwarten... eh buitenlanders wilden zitten. Mijn vader wil ook verhuizen, maar niemand wil onze etage kopen. Alleen voor heel weinig. En nu verliezen we een hoop geld, zegt m'n vader, door die zwar... die buitenlanders.'

Meester Hans luistert aandachtig.

'Jullie hebben het kennelijk niet getroffen met die bovenburen,' geeft hij toe. 'Maar gelukkig zijn niet alle Turken zo. Hoe zit het met de andere bewoners?'

53

'Naast ons wonen Surinamers. Die vallen wel mee, alleen dat eten stinkt zo. En aan de andere kant wonen Nederlanders. Die klooien altijd aan hun auto's, net voor de deur van de Turken, en daar krijgen ze dan ruzie mee.'
'Die Nederlanders zijn dus ook niet zulke lieverdjes.'
Henk grijnst en haalt zijn schouders op.
'Dan moeten ze maar teruggaan naar Turkije, zeggen ze.'
Meester Hans kijkt bedachtzaam voor zich uit.
'Henk, ik geef toe dat het allemaal niet zo makkelijk is. Heel moeilijk zelfs. Zowel voor Nederlanders als buitenlanders. Want die verlaten hun eigen land uit noodzaak, omdat daar geen werk is. Ik heb soms echt met ze te doen. Moet je je es even voorstellen dat jij morgen in Marokko zou zitten. Alles heb je achtergelaten: je familie, je vrienden, noem maar op. Daar sta je dan met je mond vol Nederlands, dat niemand verstaat. Het klimaat is anders, de omgeving en de gewoonten zijn anders. Wat jij doet, draagt of eet, vinden anderen gek. Ze lachen je vaak uit. Of erger, ze schelden je uit. Je woont bovendien met z'n allen in een klein kamertje. Zou jij dan af en toe niet tegen het plafond vliegen?'
Henk haalt onverschillig zijn schouders op. 'Maar ik woon daar niet, ik woon hier.'
'Ik zou me af en toe behoorlijk eenzaam en ellendig voelen, dat weet ik zeker,' gaat de meester verder. 'En misschien zou ik ook wel rotzooi gaan schoppen, vooral als ze me steeds uit zouden schelden.'
'Ze maken het er zelf naar. Laatst kreeg m'n broer nog ruzie met een Surinamer, toen-ie naar de disco ging. Die zat ook te klieren. En toen m'n broer d'r wat van zei, pakte die zwar... pakte-ie toch maar mooi een mes.'
'En jij? Wat deed jij vanochtend met Debbie? Was dat ook geen klieren?'
'Die meid kan niet tegen een geintje.'
'Het was geen geintje en dat weet je donders goed.'
Henks voet bonkt weer tegen de tafelpoot.
'Zorg dat dat niet meer gebeurt.'
Bonk-bonk-bonk, doet Henks voet.

'En ik wil ook niet dat je Jerry of Achmed "die zwarten" noemt, begrepen? Je noemt ze bij hun naam.'

'Ja, meester,' mompelt Henk. Hij ziet hoe de meester opstaat en naar de kast loopt. Zou hij nog strafwerk krijgen? Nee, de meester pakt het vissenvoer.

'Ga je mee de vissen voeren?'

Het gezicht van Henk verandert op slag.

'Ja, meester!' Hij springt overeind.

Ze lopen samen naar de gang. Henk blijft even bij het hok met de konijnen staan.

'Dat ene dwergkonijn krijgt vast jonkies, meester,' zegt hij enthousiast. 'Kijk maar hoe dik-ie is, hij barst zowat.'

'Ik denk wel dat het een zíj is,' lacht de meester.

Henk lacht ook en steekt zijn vinger door de tralies.

'Hartstikke leuk, zo'n klein konijntje. Ik zou d'r best een willen hebben, maar dat kan niet. We wonen veels te klein, zegt m'n moeder.'

Dan lopen ze naar het aquarium. Henk strooit wat voer in de bak.

Hij staat met z'n neus tegen het glas gedrukt.

'Moet-u kijken hoe ze d'r op afkomen! En ziet u die schelp daar?' Zijn vinger wijst naar een hoek. 'Die is nog van mij. Heb ik een keer van m'n oom gekregen toen ik in groep zes zat. Nou, en toen heb ik 'm in het aquarium laten zakken. Die zwarte sluierstaartvis zwemt er altijd op af. Nu ook, ziet-u wel?'

'Ja, ik zie het,' zegt de meester.

Ze blijven nog een tijdje kijken en dan lopen ze naar de uitgang.

De meester legt even zijn hand op Henks hoofd.

'Tot morgen, Henk.'

'Tot morgen, meester. Gaan we dan weer de vissen voeren?'

'Als je dat graag wilt, doen we dat.'

Henk holt het schoolplein over en meester Hans blijft hem nakijken.

Hij zucht. Waren de dingen maar zo eenvoudig als het oplossen van een som, denkt hij. Maar helaas is dat niet zo. Zeker niet in deze buurt en op deze school.

De tweede inbraak

Opnieuw wordt er op school ingebroken.

Deze keer vinden de kinderen het veel erger. Het grote aquarium ligt in duizend stukken, de gang is ondergestroomd en de vissen zijn dood, op een enkele na. Dat niet alleen. Ook de marmotten en de dwergkonijnen liggen dood in hun hokken.

Opnieuw zijn de muren in de gang volgeklad en staat er een politieauto in de straat.

De hele school krijgt een dag vrij. Alleen een paar kinderen uit groep acht moeten blijven om te helpen opruimen.

De klas van meester Hans dromt verslagen bij elkaar. Ze zijn allemaal overstuur en sommigen huilen. Zelfs Henk is helemaal van streek.

'Hoe kun je nou zoiets doen!' roept hij met overslaande stem. 'Je gaat toch geen vissen afslachten? En die dwergkonijntjes zouen net jonkies krijgen.'

Hij veegt over zijn ogen en holt het schoolplein af. Hij kijkt niet uit bij het oversteken en komt haast onder een auto, die gierend moet afremmen.

Bram staat er bleekjes bij. Hij is de enige van de klas die binnen is geweest en alles heeft gezien; hij wordt er nog misselijk van als hij eraan denkt. Hij kon net de w.c. halen om over te geven, maar toch heeft hij kunnen lezen wat er op de muur stond.

'Ik ben er hoe langer hoe meer van overtuigd dat dit het werk is van een groep extremisten,' zegt hij. 'Weet je wat ze nu hebben geschreven?'

Bram wacht een ogenblik.

'Nou?'

' "Dit moeten ze ook met de zwarten doen".'

Ze gapen hem ontsteld aan.

'Hoe weet je dat?'

'Heb ik zelf gezien. Ik was vroeg op school omdat ik de meester moest helpen met fotokopiëren. Ik denk trouwens dat er deze keer een handlanger in het spel zit.'

'Wat is dat?' vraagt Ali. Bram gebruikt altijd zulke moeilijke woorden.

'Hulp van binnenuit.'

'Bedoel je... bedoel je dat een van de leerlingen die vissen heeft doodgemaakt?' vraagt Linda.

'Nee, dat niet. Maar 'k zal je iets laten zien.'

Ze lopen achter Bram aan naar de achterkant van de school, waar een paar agenten bezig zijn bij het kelderraam.

'Ze nemen vingerafdrukken,' legt Bram uit. 'Kijk, de tralies zijn doorgezaagd, maar het raam is heel. Dat betekent dat het gister-avond al openstond. Dat moet iemand van school hebben ge-daan.'

'Dat moet dan een blanke geweest zijn,' merkt Jerry slim op, 'geen zwarte.'

'Dat vermoed ik ook,' zegt Bram, 'of...' Hij schuift zijn brilletje bedachtzaam omhoog. 'Of het zou een provocateur moeten zijn.'

'Wat is dat nou weer,' roept Ali. Waarom praat Bram nooit eens gewoon?

'Iemand die op deze manier wil laten zien, hoe gemeen sommi-gen kunnen zijn tegen mensen met een andere huidskleur; en dat kan ook een zwarte zijn.'

'Kom nou,' schreeuwt Jerry verontwaardigd, 'da's idioot, man. Ik zeg als zwarte toch niet dat de zwarten weg moeten?'

'Je doet het met de bedoeling dat iedereen zal denken dat dit het werk is van blanken.'

Maar dat gelooft Jerry niet. De anderen ook niet.

'Het is maar een hypothese,' zegt Bram. 'Zelf heb ik er ook een andere mening over.'

Hij kijkt om zich heen. 'Hee, waar is Hassan trouwens?'

Niemand heeft hem gezien die ochtend.

Linda en Debbie slenteren bedrukt naar huis. Ineens blijft Linda staan.

'Daar is je moeder,' zegt ze, 'met Robbie.'
'Waar?'
Debbie kijkt om zich heen, maar ze ziet haar niet.
'Ze gaat net de supermarkt in.'
Debbie bedenkt zich geen ogenblik. Ze holt naar de glazen deur,
die vanzelf opengaat. Linda ziet door het raam hoe Debbie ge-
haast zoekt. Haar moeder staat voor een rek met zeeppoeder en
Debbie loopt net aan de andere kant. Eindelijk zien ze elkaar.
Debbie slaat haar armen om haar moeder heen alsof ze haar nooit
meer los wil laten. Haar moeder staat er wat onhandig bij, ze
heeft een tas met boodschappen in haar ene hand en een wandel-
wagen in de andere. Daarna omhelst Debbie haar broertje.
Linda aarzelt. Wat zal ze doen? Wachten of weggaan?
Besluiteloos blijft ze staan, net zo lang tot ze met z'n drieën naar
buiten komen.
'Ik was met Linda,' vertelt Debbie vlug. In haar opwinding is ze
Linda helemaal vergeten.
Ze lopen met haar moeder mee.
'Komen jullie binnen?' vraagt Debbies moeder als ze voor het
huis van Fred Bruins staan.
Debbie aarzelt. Zou ze? Als haar vader er maar niet achter komt.
'Ik verbied je om bij die vent over de vloer te komen,' zegt hij
steeds. 'Die heeft je moeder afgepikt.'
Haar moeder doet de deur al open en voor ze het beseffen staan ze
in de gang. Debbie tilt Robbie uit het wagentje en knuffelt hem,
terwijl haar moeder de boodschappen uitpakt in de keuken. Ze
steekt meteen een sigaret aan en vraagt:
'Willen jullie wat drinken?'
'Nee, dank u, mevrouw,' zegt Linda. Ze zit op het randje van
een leren bank, die zuchtende geluiden maakt.
'Waarom zitten jullie niet op school?' wil Debbies moeder weten.
'We kregen vrij omdat...' Debbie vertelt wat er is gebeurd. Ze
praat heel snel en ratelt maar door, alsof ze bang is dat er een stilte
zal vallen. En die valt er ook, zodra ze is uitverteld.
'Wat een rotstreek van die dieren,' zegt Debbies moeder, terwijl
ze een wolk rook wegwaaiert. 'Wie doet er nou zoiets?'

Daarna is het opnieuw stil. Debbie en Linda zitten stijfjes op de bank, die maar blijft zuchten.

Debbies moeder drukt haar peuk uit en steekt een nieuwe sigaret aan.

'Rook je nog zoveel?' vraagt Debbie.

'Je moet toch wat,' antwoordt haar moeder met een scheve grijns.

Weer valt er een moeilijke stilte. Debbie wiebelt zenuwachtig met haar voet en kijkt naar Robbie. Die trekt zich op aan de televisietafel en slaat met zijn handje op het scherm.

'Hij kan al staan,' zegt Debbie verbaasd.

'Ja.'

'Hoe lang al?'

'Een tijdje.'

Opnieuw weten ze niks te zeggen.

Dan horen ze een deur slaan.

'Dat is Fred.' Debbies moeder springt van haar stoel en raapt haastig wat speelgoed op.

Even later staat Fred Bruins in de kamer.

'Hoe vaak moet ik je zeggen dat dat joch met z'n fikken van de t.v. af moet blijven,' snauwt hij. 'Hij molt dat toestel nog es een keer.'

'Ik wist niet dat je thuis zou komen.'

'Waar slaat dat nou weer op?'

Debbies moeder tilt Robbie vlug op.

'O, je hebt bezoek, zie ik.'

'Da's Debbie met een vriendinnetje.'

'Hallo,' zegt Fred en verdwijnt naar de keuken.

'Dag meneer,' fluisteren Debbie en Linda verlegen.

Een ogenblik later is hij weer terug.

''k Moet er weer vandoor. Ik kwam alleen maar een pakje sigaretten halen.' Hij knijpt Robbie in zijn wang, maar die zet een keel op. Dan trekt hij Debbie aan haar haar.

'Je bent al net zo'n schoonheid als je moeder, pop.' Hij geeft haar een knipoog en loopt naar de deur.

Ze horen buiten zijn auto ronkend wegrijden.

'Ik moet nu naar huis,' zegt Debbie schuchter.

'Kom je nog es langs?' vraagt haar moeder.
Debbie knikt.
Als ze weggaat begint Robbie te huilen.

Makkers

Zelden zijn de kinderen zo rustig geweest als vanochtend. Er is geen gedrang bij de voordeur van de school, geen gestommel of geduw in de gang. Zwijgend schuifelen ze naar de klas en werpen schichtige blikken naar de lege hokken. Op de plaats van het grote aquarium staat alleen nog het stalen geraamte waar de glazen bak op rustte.

Zo leeg als de gang is, zo vol staan de muren met scheldwoorden en leuzen. Bram heeft niets verzonnen toen hij vertelde wat er stond geschreven.

Jerry balt machteloos zijn vuisten. Hoe kunnen ze!

De klas ziet er tot hun opluchting nog hetzelfde uit; planten voor het raam, nieuwe posters op de wanden en meester Hans voor het bord.

'Waar zijn Ali en Hassan?' vraagt hij als hij de klas rondkijkt.

Op dat moment komt Ali de klas inrennen.

'Te laat opgestaan?' vraagt de meester.

'Nee meester,' hijgt Ali, 'ik wilde Hassan ophalen, maar die hebben ze verrot geslagen. Hij heeft z'n hele hoofd in het verband.'

'Dat ontbreekt er nog maar aan.' De meester kijkt bezorgd. 'Wat is er gebeurd?'

'Hij is door drie jongens in elkaar getremd en toen is-ie met z'n kop tegen de stoeprand gevallen. Hij moest naar het ziekenhuis en daar kreeg-ie vijf krammen, vijf...' Ali steekt vijf vingers omhoog.

De hele klas leeft mee.

'Ze kwamen uit een portiek, die jongens dus...' vertelt hij verder. 'Hassan was op weg naar zijn oom, daar moet-ie altijd boodschappen voor doen. Ze rukten hem de tas uit zijn handen en smeten alles op straat. Toen gingen ze stompen en slaan en toen viel Hassan dus met z'n kop tegen de stoeprand.'

'Wat een rotstreek,' roept Jerry verontwaardigd en daar is iedereen het mee eens.

Linda en Debbie lopen over van medelijden en zijn meteen van plan hem op te zoeken.

Daarna praten ze over de inbraak.

'Bram denkt dat er een behanger in het spel zit, mees,' loeit Jerry opgewonden.

'Geen behanger, maar een handlanger,' zegt Bram.

'Hoezo?' De meester kijkt Bram vragend aan.

'Ze zijn deze keer via de kelder binnengekomen. De tralies waren doorgezaagd, maar het raam was heel. Iemand moet het hebben opengezet.'

'De politie vond dat ook al verdacht,' geeft de meester toe.

'En ik ben vrijwel zeker dat het licht, aan de achterkant van de school, het vannacht ook niet deed,' merkt Bram op.

'Wat zeg je me nou?' Nu is het meester Hans die zijn bril omhoog schuift.

De hele klas kijkt naar Bram. Hoe komt hij daar nu bij?

'In de bezemkast, waar de stoppen zitten, was een knop omgedraaid,' vertelt Bram.

'Hoe weet je dat?'

'Nou, gisterochtend toen u en ik… toen we in de gang kwamen en die vissen zagen… nou, toen werd ik heel misselijk.'

'Je was niet de enige,' merkt meester Hans op, 'ga verder.'

'Ik rende naar de w.c., maar daar was geen licht, dus ging ik naar het toilet ernaast. Daar deed het licht het ook niet en toen moest ik in het donker… Ik dacht dat er een stop was doorgeslagen en ging in de bezemkast kijken; naast de toiletten, waar de hoofdschakelaar zit, u weet wel…'

Meester Hans knikt.

'Ik keek naar de stoppen. Die waren in orde. Maar een van de schakelaars was omgedraaid.'

Bram aarzelt even.

'Toen heb ik iets heel stoms gedaan,' bekent hij.

De klas is een en al aandacht. Bram die iets stoms doet, stel je voor.

'Ik heb de knop weer omgedraaid,' vertelt hij schuldbewust.

'En wat gebeurde er toen?' vraagt Achmed. Hij kan haast niet wachten op het antwoord.

'De lampen in de w.c. deden het weer.'

Is dat alles? De klas is teleurgesteld. Ze hadden veel meer verwacht.

Meester Hans tilt de bril van zijn neus en begint de glazen extra schoon te poetsen. Dat doet hij altijd als hij nadenkt.

'Waarom is dat stom?' wil Debbie weten. Ze vindt het juist heel slim van Bram. Zij zou nooit op het idee komen om in de bezemkast te kijken als het licht in de w.c. het niet doet.

'Omdat ik bewijsmateriaal heb uitgewist. Ten eerste door dat knopje om te draaien, en ten tweede staan daar nu mijn vingerafdrukken op.'

Bram kijkt de meester verontschuldigend aan. 'Ontzettend stom van me, want het licht in de w.c. zit vast op dezelfde groep als de verlichting aan de achterkant van de school.'

De klas snapt er niks van, de meester wel.

'Dat kunnen we zo controleren. Ga even mee, Bram. Houden jullie je zo lang rustig?'

De klas probeert het, maar het is wel moeilijk; vooral als je op iets belangrijks wacht.

Na een tijdje komen de meester en Bram terug.

'Het klopt,' zegt de meester, 'Bram heeft gelijk. Als je in de bezemkast het licht van de toiletten uitschakelt, branden de lampen buiten aan de achterkant ook niet.'

'Betekent dat iemand van school dat knopje heeft omgedraaid?' vraagt Ranah.

'Goed mogelijk,' zegt de meester, 'en de kans is groot dat het kelderraam door dezelfde persoon is opengezet.'

Bram is nog niet uitgepraat. Hij vertelt wat hem is opgevallen de laatste weken, dat heeft hij allemaal bijgehouden.

Bram haalt een vel papier te voorschijn dat hij zorgvuldig openvouwt.

'Dit is mijn klad. Thuis heb ik alles in het net.' Bram begint voor te lezen.

'Mohammed, negen jaar, meegelokt door twee onbekende jongens naar een onbewoonbaar verklaarde woning. Heeft zes uur opgesloten gezeten. Aziz, 12 jaar, die een krantenwijk had. In alle vroegte van zijn fiets getrokken en afgerost. Zijn kranten zijn later in een container gevonden. Betul, 11 jaar, die reclamefolders moest rondbrengen, werd van achteren aangevallen in een steegje, geslagen en gestompt. En nu Hassan...'

Bram vouwt het papier weer op. 'Je ziet dat de acties steeds harder worden. Eerst werden er banden doorgeprikt, fietsen vernield, ruiten ingegooid of auto's beschadigd; maar de laatste tijd worden kinderen aangevallen en dieren gedood. Als er niet snel ingegrepen wordt, kan dit lelijk uit de hand lopen.'

'Dat mag niet gebeuren,' zegt meester Hans beslist.

Opnieuw staat er een foto van de school in de krant. Deze keer van de gang vol dode vissen, konijnen en marmotten. Daarnaast een foto van de volgekliederde muren. De buurt is niet alleen verontrust, maar ook boos en verontwaardigd.

'Hoe kunnen ze!' roept meneer Hendriks, de fietsenmaker uit.

Overal wordt er over gepraat. Op straat, in winkels en ook in het theehuis van Achmeds vader.

'We krijgen op deze manier een slechte naam,' zegt Schele Piet tegen meneer Mustafa. 'Je zou waarachtig denken dat blank en zwart hier elke dag met elkaar overhoop ligt. Goed, d'r zijn wel eens wrijvingen, maar waar heb je die niet?'

Hij tuurt woedend naar het damspel, waar alle stenen liggen te wachten op Bram, die nog moet komen.

'Wat zou ik die lui, die dit geflikt hebben, met plezier effe onder de kouwe kraan houen,' gaat Schele Piet verder. 'En de professor is ook al te laat. Waar blijft-ie?'

Hij kijkt meneer Mustafa dreigend aan, alsof die Bram heeft verstopt.

'Hij moet misschien een boodschap doen voor zijn moeder,' veronderstelt meneer Mustafa. Het lijkt hem heel logisch.

'Hij hoort geen boodschap voor zijn moeder te doen. Hij hoort met mij te dammen,' zegt Schele Piet. 'Ah, daar ben je eindelijk. Waar zat je?'

'Ik moest een boodschap doen,' zegt Bram.

'Voor je moeder?'

'Nee, voor de meester.'

'Niks mee te maken,' zegt Schele Piet. 'Je hoort met mij te dammen, of niet soms.'

'Ja,' zegt Bram, 'maar ik kon er niet onderuit.'

'Ik vind het een droevige schande,' bromt Schele Piet.

Bram tuurt bedachtzaam naar het bord. Slaat die droevige schande op het te laat komen of op de gebeurtenissen op school?

'Vissen, konijnen en marmotten,' valt Schele Piet uit, 'hoe haal je het in je hersens!'

Hij schudt z'n ruige kop en doet een ondoordachte zet.

'Weet u het zeker?' vraagt Bram voorzichtig.

'Dat vraagt nog of ik het zeker weet!' roept Schele Piet. 'Keur jij die slachtpartij soms goed?'

'Nee, natuurlijk niet. Het sloeg op de zet die u deed.'

'Zeg dat dan meteen.' Schele Piet pakt de damsteen terug.

'Stelletje tuig,' briest hij. 'Vandaag zijn ze tegen zwarten en morgen tegen schelen. Want dat gebeurt as je niet oppast, professor. Je mot precies zo zijn zoals die lui dat voorschrijven. Je gaat je langzamerhand wel afvragen wie er nog mogen wonen in dit land.'

'De koningin en haar familie natuurlijk,' zegt meneer Mustafa.

'Ja, die wel,' meent Schele Piet. 'Hoewel Beatrix d'r vader toch maar mooi een buitenlander is. En zijzelf is ook met iemand van over de grens getrouwd, net als haar meeste zussen.'

Hij grinnikt. 'Eigenlijk geven die Oranjes het goeie voorbeeld, want die trouwen praktisch allemaal met buitenlanders.'

'Maar niet met iemand van een andere huidskleur,' merkt meneer Mustafa op.

'Prinses Christina is met een Zuid-Amerikaan getrouwd,' weet Bram, 'dat is toch iemand met een andere cultuur.'

'Da's waar, professor,' zegt Schele Piet. Hij tuurt diepzinnig naar twee muren tegelijk. 'Weet je wat ik soms denk?'

Bram wacht.

'Dat het een dooie boel wordt as we allemaal gelijk zouden zijn. Verschil mot er wezen. Neem nou dit damspel... Je hebt witte en zwarte stenen. Als het allemaal witte waren, konden wij geen spelletje doen. Waar of niet?'

Bram knikt. 'Het is uw beurt,' zegt hij.

'Ik ben dat witte anders wel zat,' gaat Piet even later verder.

'Bedoelt u de witte stenen?'

'Nee, snuggere,' grinnikt Schele Piet, 'ik bedoel die gang van jullie die weer gewit mot worden. Je zal zien dat de meester vanavond al aan de bel hangt.'

'Om u de waarheid te zeggen, moest ik eh… moest ik een boodschap overbrengen,' bekent Bram.

'En dat is?'

'Of hij weer op uw hulp kan rekenen.'

'Dacht ik het niet?' roept Schele Piet triomfantelijk.

'U doet het toch wel, hè?' Bram kijkt hem smekend aan.

'Omdat jij het vraagt, professor. Makkers laten mekaar nooit vallen.'

Lelijke vette papzak

Linda is heel opgewonden. Ze heeft een plan bedacht, gister-avond in bed. Ze vond het zo'n goed plan dat ze er niet van kon slapen.
Ze wil het zo snel mogelijk aan Debbie vertellen. Ze heeft geluk, want Debbie komt haar ophalen.
'Ik moet je wat vertellen,' hijgt Debbie opgewonden, 'ik heb een plan.'
'Jij ook al?' vraagt Linda verbaasd.
Debbie wil haar plan het eerste vertellen.
'Ik heb iets bedacht om een nieuw aquarium te kopen,' zegt ze. 'We gaan gewoon geld ophalen, net als het Rode Kruis of het Leger des Heils.'
Ze kijkt Linda triomfantelijk aan, want ze vindt het heel knap van zichzelf om op zo'n idee te komen.
'Ik heb ook iets bedacht,' zegt Linda. 'We moeten met de hele klas een markt organiseren en van de opbrengst kopen we nieu-we vissen, marmotten en konijnen. En een aquarium natuur-lijk.'
'Wat moeten we dan verkopen?' vraagt Debbie.
'Van alles.' Linda maakt een breed gebaar. 'Of je kan iets opvoe-ren. Jij kan bijvoorbeeld playbacken. Daar verdien je vast veel geld mee.'
'Goh, ja...' roept Debbie. Het lijkt haar nog leuker dan gewoon geld ophalen.
'En wat ga jij doen?'
'Ik zie wel,' antwoordt Linda vaag. Ze weet het nog niet.
Debbie wordt steeds enthousiaster, vooral over dat playbacken.
'Jouw plan is nog beter dan het mijne,' zegt ze gul, 'maar wel gek dat we alle twee hetzelfde idee hadden, hè? Dat komt natuurlijk omdat we vriendinnen zijn, denk je niet?'

'Ja, vast.'

Ze hollen alle twee naar school. Linda is zo buiten adem dat Debbie het woord moet voeren.

Ze zijn allemaal enthousiast, vooral Henk; en dat verbaast iedereen, want meestal kamt hij alles af.

'Ik heb thuis een heleboel strips,' roept hij, 'die brengen vast veel op.'

'En wij hebben een zolder vol rotzooi,' vertelt Ruud, 'dat verkopen we gewoon voor antiek.'

'We kunnen de markt hier op het schoolplein houden,' stelt Achmed voor. 'Dan ga ik thee schenken, net als m'n vader.'

Tegen de tijd dat de bel gaat, wil haast iedereen meedoen.

Schreeuwend stommelen de kinderen de klas binnen.

'Wat een opwinding,' zegt meester Hans, 'kan het niet wat zachter?'

'We hebben een plan, mees,' toetert Jerry. 'We gaan een markt houden voor nieuwe vissen en konijnen.'

Daar wil de meester meer over horen.

Ranah mag het vertellen. Iedereen moet goed luisteren omdat ze zo zachtjes praat.

'We willen een markt organiseren op het schoolplein om geld in te zamelen,' fluistert Ranah alsof ze een groot geheim prijsgeeft. 'En van dat geld kopen we een nieuw aquarium met vissen, marmotten en konijnen.'

'Hoe willen jullie dat doen?'

Debbie vertelt dat zij gaat playbacken en dat ze daarmee best een half aquarium kan verdienen.

'En ik ga al mijn strips verkopen,' roept Henk.

De meester vindt het een geweldig idee.

'Linda heeft het bedacht, mees,' roept Jerry en hij wijst naar Linda, die meteen weer een rood hoofd krijgt.

'Samen met Debbie, hoor,' zegt Linda vlug.

Bram heeft tot nu toe alleen maar geluisterd. Eindelijk doet hij zijn mond open.

'We hebben publiciteit nodig,' zegt hij, 'de pers moet ingelicht worden.'

68

'We halen gewoon de t.v. d'r bij,' roept Jerry, 'het jeugdjournaal.'
'Het is te proberen,' zegt de meester. Je ziet aan zijn gezicht dat hij er plezier in heeft.
'Ik ben trots op jullie,' zegt hij, 'dit is een klas met initiatief.'
'Met watte?' roepen een paar. De meester gaat al net zo ingewikkeld praten als Bram.
'Dat betekent gewoon dat de klas iets gaat doen,' legt Jerry uit.
'Nietwaar, mees?'

Iedereen is vol van de markt, vooral Debbie. Die denkt, droomt en praat nergens anders over.
Ze weet al op welke muziek ze wil dansen en wat ze zal aantrekken. Ook hoe haar haar moet zitten; een paardestaart opzij en overal een boel gekleurde kammetjes en knipjes, die ze bij de Hema heeft gezien. Die wil ze vanmiddag kopen, want het is woensdag, dan hebben ze toch vrij.
Linda heeft geen zin om mee te gaan. De Hema is zo ver, helemaal in het centrum.
'Je kunt die knipjes net zo goed bij de drogist kopen,' zegt ze.
'Die hebben niet zulke leuke als de Hema.'
Debbie zeurt net zo lang tot Linda meegaat.
Het begint leuk. Als ze eenmaal bij de Hema zijn passen ze eerst hoeden en daarna gekke zonnebrillen. Debbie proest het uit als Linda een grote donkere bril opzet met glazen in de vorm van een hart. Vooral als Linda's mond ook nog openzakt en ze roerloos in de verte staart.
'Debbie...' fluistert ze, 'kijk daar!'
Debbie hoort haar niet. Ze heeft een bril ontdekt met een gifgroen montuur die ze goed kan gebruiken voor haar optreden.
Linda geeft haar zo'n harde duw dat ze bijna valt.
'Wat is er?' vraagt Debbie.
'Kijk daar!' fluistert Linda. 'Daar is Mariek van de meester.' Ze wijst in de richting van de ingang.
Debbie en Linda zien door hun donkere brillen hoe Mariek langs de toonbanken slentert. Ze praat honderduit tegen een man die naast haar loopt. Langzaam komen ze dichterbij.

'Bukken,' sist Linda. Ze duiken weg achter een rek met trainingspakken.

'Weet je dat ik je ontzettend gemist heb,' zegt de man, als hij langs het rek loopt.

'Ik jou ook,' zegt Mariek, 'ik wou dat je nooit meer wegging.'

Een eindje verder staan ze stil bij de hoeden. De man pakt een hoed en zet die op Marieks hoofd.

Debbie en Linda kunnen niet horen wat ze zeggen, maar ze kunnen wel alles zien, ook al hebben ze een donkere bril op hun neus.

Mariek begint te schateren en ze geeft de man een zoen.

Een zoen! Linda en Debbie staren sprakeloos naar de twee ruggen die weer verder slenteren.

'Heb... heb je dat gezien?' hakkelt Linda.

Debbie knikt. Ze heeft ineens geen zin meer om knipjes te kopen. Ze rukt de bril van haar neus en smijt hem terug in het rek. Daarna haast ze zich naar buiten. Linda kan haar nauwelijks bijhouden.

'Hee, wacht nou even!' roept ze, maar Debbie holt nog harder. Eindelijk staat ze hijgend stil.

'Ik ga naar huis,' zegt ze met afgewend gezicht.

'En je wou knipjes kopen!'

'Geen zin meer.'

'Ga je naar je eigen huis of naar je moeder?' vraagt Linda.

'Wa's dat nou voor rotopmerking,' schreeuwt Debbie. 'Naar m'n eigen huis natuurlijk, lelijke vette papzak.'

Ze draait zich om en rent weg.

Linda blijft verbijsterd staan. Ze bedoelde echt niks met die vraag. Gemeen van Debbie om haar zomaar uit te schelden. Als ze maar weet dat ze nooit meer haar vriendin wordt, nooit meer. En ze gaat ook nooit meer mee om die stomme knipjes te kopen. Kon zij het helpen dat ze die stomme Mariek zagen. Daarom wilde Debbie natuurlijk weg, omdat die stomme moeder van haar ook een ander heeft. Alsof dat haar schuld is! Daarom hoeft Debbie haar toch niet uit te schelden voor lelijke vette papzak? Linda sjokt bedrukt verder, ze voelt zich net een olifant.

'Linda… Linda…' loeit een stem achter haar. Het zijn Jerry en Achmed.

'Weet je wat we hebben gezien?' roept Jerry verontwaardigd.

'Mariek van de meester heeft een ander.'

Linda knikt.

'Wist je dat dan?' vraagt Achmed.

'Ik zag ze daarnet samen bij de Hema. Ze gaf hem een zoen.'

'Die rotgriet,' valt Achmed uit. 'Dan zet ze de meester mooi voor schut.'

Linda heeft nog niet eens aan de meester gedacht.

'Ik vind dat hij het moet weten dat-ie bedonderd wordt,' zegt Jerry terwijl ze verder lopen.

'Ik vertel het hem niet, ik kijk wel uit!' roept Achmed.

'Laten we het aan Bram vragen,' stelt Linda voor, 'die weet vast wat we moeten doen.'

De brief

Bram zit op zijn kamertje en bestudeert een boek over handlijn-kunde. Hij heeft besloten handen te gaan lezen op de markt, om geld in te zamelen voor een nieuw aquarium.

Net als hij verdiept zit in de hartlijn wordt er gebeld. Het zijn Jerry, Achmed en Linda.

'Mariek beduvelt de meester,' valt Jerry met de deur in huis.

'Kom even boven,' zegt Bram.

'Gosjemijne!' roept Achmed. Hij heeft nog nooit zo'n vol ka-mertje gezien; je kunt er nauwelijks ademhalen. Alle wanden hebben planken, die vol boeken staan. Op de grond liggen sta-pels kranten en tijdschriften.

'Ga zitten,' zegt Bram. Aardig gezegd, maar waar?

Hij maakt een plaatsje vrij op zijn bed, waar ze met z'n drieën nog net kunnen zitten.

Dan vertelt Linda wat ze heeft gezien bij de Hema. Mariek liep met een ander. Ze heeft gehoord wat ze zeiden. Dat ze elkaar hadden gemist. En Mariek gaf die man een zoen!

'Daar moeten we ons niet mee bemoeien,' zegt Bram. 'Dat is een zaak van de meester.'

'Maar de meester is een zaak van ons,' roept Jerry, 'want hij is onze meester, of niet soms?'

Dat kan Bram niet tegenspreken.

'Dus als de meester een zaak van ons is, is Mariek ook een zaak van ons, want zij is zijn vriendin.'

Achmed en Linda vinden ook dat de meester het moet weten.

'We kunnen hem een brief sturen zonder afzender,' bedenkt Achmed.

'Hij herkent zo ons handschrift,' zegt Bram.

'We kunnen de brief toch tikken?'

Goed idee, maar wie heeft er een typemachine? Niemand die ze kennen. Ja, de meester, een elektrische nog wel. Maar die kunnen ze niet lenen natuurlijk.

'Hoewel ik nog steeds vind dat we ons er niet mee moeten bemoeien, heb ik wel een oplossing voor de brief,' zegt Bram. 'Je kunt woorden uit een krant knippen en die op een vel papier plakken.'

Echt weer iets voor Bram! Ze kijken hem vol bewondering aan.

'Heb ik niet van mezelf, hoor,' zegt Bram bescheiden, 'zoiets zie je vaak in films.'

Ze gaan meteen aan de slag. Eerst bedenken ze wat ze moeten schrijven.

'Gewoon "Mariek heeft een ander",' zegt Linda, maar Bram vindt dat niet goed. Veel te kort.

Hij krabbelt wat in een schrift. De anderen lezen mee over zijn schouder.

'Zeer geachte meneer,

Hiermede geven wij u kennis, dat uw vriendin, juffrouw Mariek van der Zwaan, een relatie heeft met een ander.'

'Goed, zeg! Net een grotemensenbrief,' roept Linda.

'Moet ook,' zegt Bram, 'anders heeft-ie zo door dat wij het zijn.' Hij streept het woord 'hiermede' weer door en maakt er 'uit betrouwbare bron' van. Dat klinkt nog beter, vindt iedereen.

Dan gaan ze snuffelen in kranten. Gelukkig heeft Bram stapels, maar toch valt het niet mee. Linda knipt de woorden uit die de anderen opzoeken, maar geen van drieën kan de naam Mariek van der Zwaan vinden.

'Kijk bij de overlijdensberichten,' zegt Bram. Dat doen ze, maar er is niemand doodgegaan die zo heet. Ze komen wel een Mariek tegen, Mariek Moesman.

'Ook zielig,' zegt Linda, 'ze was pas drie.' Ze zijn er even stil van.

Dan zoeken ze bij de huwelijksadvertenties en geboorteaankondigingen. Nergens een Van der Zwaan.

'Stom, stom, stom!' roept Bram. Hij slaat met zijn hand tegen zijn voorhoofd en duikt onder het bed, waar hij een stapeltje tijdschriften te voorschijn tovert, met een touw eromheen.

'Mijn oom heeft een tijdje bij de vogelbescherming gewerkt en nam toen altijd tijdschriften voor me mee. Die heb ik bewaard.'

Het duurt niet lang, of ze hebben het woord 'zwaan' ook.

Het adres nog en ze zijn klaar. De meester zal er nooit achterkomen van wie deze brief is.

'Ik gooi hem wel in de brievenbus,' zegt Jerry, 'dan heeft-ie hem vandaag nog.'

'Maar de meester kent jou, sufferd,' roept Achmed. 'Als hij je ziet ben je erbij.'

'Dan vraag ik het wel aan m'n zus.'

'Is die te vertrouwen?'

'M'n zus? Tuurlijk is die te vertrouwen!' Wat denkt die Achmed wel.

Ze plakken de naam van de meester nog op de envelop. 'De heer H. Bos.'

Iedereen kijkt tevreden, behalve Bram.

'En toch hou ik niet van anonieme brieven,' zucht hij.

'Van wat?'

'Van brieven, waarin de schrijver zijn naam niet vermeldt.'

'Maar wil jij dan dat de meester trouwt met iemand die hem bedondert?' vraagt Jerry.

'Natuurlijk niet, maar wij bedonderen hem ook.'

'Dat zie je verkeerd,' zegt Jerry. 'Wij waarschuwen hem. Als we niks doen, zouen we hem juist bedonderen.'

Linda en Achmed knikken, zo denken zij er ook over.

Bram haalt zorgelijk zijn schouders op. Misschien hebben ze wel gelijk.

Linda begrijpt er niets van. Het is niet normaal dat de meester zo normaal doet vanochtend, hij is zelfs vrolijk. En dat terwijl je een brief ontvangen hebt waarin staat dat Mariek een ander heeft!

Hij wrijft in zijn handen en zegt: 'Ik heb er echt zin in.'

'Waarin?' vraagt Achmed.

'In alles,' antwoordt hij met een blik alsof hij jarig is.

'Waar is Debbie?' vraagt hij, 'toch niet ziek?'

Niemand weet het. Linda ook niet. Ze is niet langs Debbie gegaan. Die kan barsten wat haar betreft, ze kijkt haar nooit meer aan.

In de pauze komen ze bij elkaar; Jerry, Achmed, Linda en Bram.

'Het is niet normaal,' vindt Achmed ook. 'Je zus heeft de brief toch wel gepost?'

'Tuurlijk,' roept Jerry, maar hij is er niet zo zeker van.

'Wanneer dan?'

'Gisteravond.'

'Maar heeft ze dat gedaan?'

'Tuurlijk,' antwoordt Jerry weer, maar zijn twijfels groeien.

'Misschien is het al uit met die Mariek,' veronderstelt Achmed, 'heeft-ie zelf ook een ander.'

Maar het is niet uit met Mariek. Daar komen ze achter onder aardrijkskunde. Ze krijgen Portugal.

De kaart beslaat het hele bord.

De meester vindt het leuk om aardrijkskunde te geven vanochtend en vooral Portugal. De klas begrijpt algauw waarom. Gisteren heeft hij zijn vakantie besproken. Hier gaat hij naar toe. De stok wijst een rode stip aan.

'Leuk meester, mogen we mee?' roept iemand.

'Een andere keer misschien,' lacht hij, 'nu ga ik met Mariek. We willen een brommer huren en het binnenland intrekken.'

Hij begint zo enthousiast over Portugal te vertellen alsof hij bij een reisbureau werkt.

De les vliegt om, behalve voor een paar. Jerry piekert zich suf. Hij schrikt als hij zijn naam hoort.

'Waar zit jij met je gedachten?' vraagt de meester.

'Bij Mariek,' flapt Jerry eruit. Hij kan zichzelf wel slaan.

'Je bent niet de enige,' lacht de meester, 'daar denk ik ook vaak aan. Maar nu zijn we met Portugal bezig. Vertel me eens hoe deze rivier heet?'

'De Taag,' antwoordt Jerry op goed geluk. Niet eens fout! Hij haalt opgelucht adem en kijkt schichtig naar Achmed die hem duistere blikken toewerpt. Linda heeft een hoofd dat op overkoken staat. Wat is die Jerry een stommerd.

Bram staart broeierig voor zich uit. Hier klopt iets niet. Daar is hij zo zeker van als Lissabon de hoofdstad van Portugal is.

Jerry wacht vol ongeduld op zijn zusje Bianca. Eindelijk komt ze thuis.

'Heb je gisteravond die brief gepost?' vraagt hij.

Shit, denkt Bianca, straal vergeten.

'Tuurlijk,' zegt ze.

'Weet je 't zeker?'

'Vertrouw je me niet soms?' Bianca kijkt hem uitdagend aan.

'Nee,' antwoordt Jerry.

Bianca begint zich op te winden. Wat denkt die Jerry wel. Hij kan niet weten dat die brief nog in haar zak zit, dus...

'Waarom vraag je dan aan mij om die brief te posten als je me niet vertrouwt?'

'Ik had niemand anders.'

'Dus ik ben goed als je niemand anders hebt. Je wordt bedankt.'

Jerry heeft meteen spijt.

'Zo bedoel ik het niet.'

'Nou, hoe bedoel je het dan?'

Dat weet Jerry ook niet. Hij weet nooit hoe hij Bianca aan moet pakken. Die zit al op de mavo en heeft een antwoord op alles.

'Ik zal nog es wat voor je doen!' Bianca mept de deur keihard dicht.

Jerry hoort haar naar buiten gaan. Bam, opnieuw een deur. Die is flink nijdig.

Dat is Bianca inderdaad. Stom om gisteravond te vergeten die brief te posten.

Ze haalt de enveloppe te voorschijn. Jerry wil vast een geintje uithalen met iemand. Wie plakt er nou uitgeknipte letters op een enveloppe?

Bianca grinnikt en mikt de brief in de brievenbus van de heer H. Bos.

Zo, en nu zal ze die stomme broer van haar nog eens flink op z'n donder geven dat hij haar niet vertrouwt. Wat denkt-ie wel?

Madonna

De klas begrijpt er niks van, alleen een paar snappen het.

Nog nooit hebben ze de meester zo chagrijnig meegemaakt.

Zijn gezicht staat op windkracht tien en hij geeft meteen een heel moeilijk proefwerk.

Ze durven niet eens te protesteren, zelfs nauwelijks te zuchten.

Jerry kijkt Bram veelbetekenend aan. De brief moet dus aangekomen zijn...

Meester Hans marcheert door de klas en doet niets dan snauwen.

Bij de bank van Linda blijft hij plotseling staan.

'Waar is Debbie?' vraagt hij bars.

''k Weet niet, meester,' fluistert Linda met haar neus op het blaadje.

'Hoezo, 'k weet niet. Jullie zijn toch vriendinnen?'

'Ja... nee...'

'Wat is het, ja of nee.'

'Nee... nee... ja...' hakkelt Linda.

De meester haalt ongeduldig zijn schouders op en stampt verder.

Zelfs Ranah blaft hij af omdat ze haar pen laat vallen.

Na het proefwerk krijgen ze rekenen, het is echt niet leuk meer.

Iedereen is opgelucht als de bel gaat.

'Had-ie even een lekker humeur,' roept Henk. Hij geeft Jerry zo'n duw dat hij zijn evenwicht verliest en valt.

'Kun je wel?' Nu geeft Jerry Henk een duw en even later rollen ze al over het schoolplein. Henk is veel sterker, maar Jerry is snel.

'Zet 'm op, Jerry!' schreeuwt iedereen.

Maar Jerry krijgt geen kans, want meester Hans komt aanstuiven en trekt ze uit elkaar.

'Naar de klas jullie!' Een strenge vinger wijst in de richting van de school.

Na de pauze wordt de stemming er niet beter op. Jerry en Henk kijken elkaar woest aan.

Ze krijgen geschiedenis. Anders vliegt dat uur om, maar nu moet zelfs Bram gapen.

'Niet genoeg geslapen vannacht?'

'Jawel, meester.' Bram klapt vlug zijn mond dicht.

Wat een ochtend...

Diezelfde middag schrijft Linda in haar dagboek:

'De meester had een pesthumeur, vast door de brief. Bram zei: hadden we hem maar nooit verstuurd, en Jerry zei: zie je nou wel dat mijn zus hem heeft verstuurd en Achmed zei: als de meester zo'n pokkepesthumeur blijft houden, ga ik van school af.'

Linda kauwt op haar pen en denkt aan Debbie.

'Debbie kan nog steeds barsten,' schrijft ze. Onder barsten zet ze drie dikke strepen.

Ze zucht. Eigenlijk mist ze Debbie heel erg.

'Linda...' De stem van haar moeder.

'Ja?'

'Telefoon voor je.'

Linda holt naar de gang.

'Hallo, met mij,' fluistert een zwak stemmetje.

Het is Debbie.

Linda weet even niet wat ze moet zeggen.

'Ben je daar nog?' fluistert Debbie.

'Ja,' zegt Linda zo onverschillig mogelijk, 'waarom praat je zo gek?'

'Ik kan niet anders, ik was bijna dood.'

'Zal wel.'

Debbie overdrijft natuurlijk, dat doet ze wel vaker.

'Echt waar. Ik had angina, mijn hele keel zat dicht. Ik had veertig graden koorts en als je twee en veertig hebt ga je dood.'

Daar schrikt Linda toch wel even van.

'Is de dokter geweest?'

'Ja. Die gaf me penicilline. Dat zijn hele grote pillen. Hij zei dat ik een tijd in bed moest blijven.'

Linda ziet het helemaal voor zich. Debbie zielig in bed, op twee punten na dood, die alleen nog kan fluisteren en ook nog van die enge pillen moet slikken.

'Zal ik komen?'

'Gaag,' gorgelt Debbie.

'Wat zeg je?'

'Ja, gaag.'

'Ik kom al.'

Linda gooit de hoorn erop. Ze grist haar jack van de kapstok.

'Ik ga naar Debbie,' roept ze, 'die was bijna dood.'

Weg is ze. Deur uit, straat in, hoek om. Weer een straat, weer een hoek.

Daar is Debbies deur. Bellen.

Meteen gaat de deur open. Debbie zit boven aan de trap met een deken om haar schouders.

'Lig je niet in bed?' hijgt Linda als ze naar boven klautert.

'Nee. Ik zat op jou te wachten,' fluistert Debbie hees.

Ze ziet er bleek en gekrompen uit.

'Gauw naar bed,' commandeert Linda. Ze stopt Debbie onder de dekens als een echte verpleegster.

'Ben je alleen thuis?'

'Mijn vader had een paar dagen vrij genomen omdat ik zo ziek was. En mijn tante komt vaak. Die is nu even weg om een paar boodschappen te doen.'

'Waarom heb je niet eerder gebeld?'

'Ik durfde niet,' fluistert Debbie kleintjes. 'Ik was bang dat je boos was.'

'Was ik ook,' zegt Linda.

'Nog steeds?'

Ze kijkt Linda smekend aan.

Linda schudt haar hoofd.

'Ik weet niet waarom ik dat zei van die lelijke papzak. Ik denk om m'n moeder.' Het klinkt niet erg logisch, maar Linda begrijpt het toch wel zo'n beetje.

'Je bent eigenlijk helemaal niet zo dik,' fluistert Debbie, 'ik vind je eigenlijk best slank.'

Linda begint te lachen. Die gekke Debbie, ze bedoelt het goed.

'Je hebt dikke en dunne,' zegt ze, 'ik ben toevallig dik. Nou, en! 't Zit in de familie, zegt m'n moeder.'

'Maar lelijk ben je niet,' fluistert Debbie. 'Je lijkt eigenlijk een beetje op Madonna.'

'Zal wel.' Linda gelooft er niet veel van, maar ze voelt zich toch gevleid.

En daarna hebben ze elkaar weer een heleboel te vertellen.

De markt

Vandaag is het zo ver; de dag voor het goeie doel!
De school ziet er feestelijk uit. Voor alle ramen hangen slingers en ballons, de vlag wappert boven de ingang en het plein staat vol kraampjes. Daar heeft Schele Piet voor gezorgd.
Eerst zijn de kinderen nog bang dat het gaat regenen. Wolken vol water hangen laag boven het plein, maar het blijft droog. Daarna maken ze zich zorgen dat er niemand komt – ook al niet nodig.
De meester heeft overal rondgebazuind dat het jeugdjournaal waarschijnlijk komt. Dat 'waarschijnlijk' slikte hij telkens een beetje in. Iedereen wil op de televisie en het duurt niet lang of het is een drukte van belang, vooral bij de antiekhoek van Ruud en Achmed.
Achmed is op het laatste ogenblik van idee veranderd. In plaats van een Turkse theetent wilde hij liever Ruud meehelpen met antiek verkopen.
Ze hebben samen Ruuds zolder leeggeplunderd. Het mooiste vindt Ruud dat hij een vaas aan zijn eigen moeder verkoopt.
'Wat een mooie vaas,' zegt zijn moeder, 'hoe kom je d'r aan?'
'Op de kop getikt,' antwoordt Ruud met een stalen gezicht. 'Het is echt antiek, ik zou hem maar kopen.'
'Hoeveel is-ie?'
'Omdat jij het bent vijf gulden.'
'Kan d'r niet wat af?' vraagt z'n moeder.
'Vandaag niet. 't Is voor 't goeie doel.'
'Vooruit dan maar.' Zijn moeder haalt haar portemonnee al te voorschijn. 'Die vaas doet me aan vroeger denken. Oma had net zoiets op de schoorsteenmantel staan.'
Achmed pakt de vaas netjes in een krant.

'Linda heeft lekkere koeken, mevrouw,' vertelt hij enthousiast en hij wijst naar een kraampje.

Linda heeft het druk. Haar vader heeft voor een grote voorraad stroopwafels en spritsen gezorgd. Van elk pak dat ze verkoopt mag een gulden naar het goeie doel. Ranah helpt haar mee en Linda had nooit verwacht dat je met haar zo kon lachen. Anders is Ranah nogal stil, maar nu kwekt ze als een radio en ze roept zelfs als een echte marktverkoopster: 'Waaaafels, lekkere stroopwaaafels en sprrrritsen.'

'Kijk, daar heb je Mariek van de meester ook,' zegt Ranah. 'Die koopt vast wel wat.'

Mariek komt hun kant uit. Linda schrikt. Naast haar loopt een man, dezelfde die ze een zoen gaf, midden in de Hema.

'Jullie hebben het lekker druk,' zegt Mariek. 'Geef mij maar drie pakken stroopwafels.'

'Ook een voor de meester zeker,' lacht Ranah.

'Nee, die houdt niet van zoet, maar mijn broer en ik zijn er gek op.'

Als ze wil betalen zegt de man naast haar: 'Laat maar, doe ik wel.'

'Bof ik even met zo'n broer.' Ze geeft Linda en Ranah een knipoogje.

'Is... is dat uw broer?' stottert Linda.

'En wat voor een, m'n tweelingbroer nog wel,' vertelt Mariek opgewekt.

'Jullie lijken anders niks op elkaar,' zegt Ranah, die vandaag alles durft.

'Dat zegt iedereen. Toch is het zo. Vroeger waren we onafscheidelijk, maar tegenwoordig zien we elkaar helaas veel te weinig, want mijn broer vaart.'

Mariek steekt haar arm gezellig door die van haar broer.

'Daarom ben ik zo blij dat-ie weer even aan wal is, zie je.'

'En dat ik voor haar betaal,' lacht haar broer. Hij geeft Ranah geld en zegt: 'Laat maar zitten, hoor, 't is voor 't goeie doel.'

Daarna slenteren ze door naar een ander kraampje.

'Hij gaf zomaar twee gulden cadeau. Dan hebben we d'r al weer vijf gulden bij, goed zeg!' roept Ranah enthousiast.

Ze merkt niet dat Linda erg in de war is.

'Ik moet even weg,' zegt Linda haastig, 'ik kom zo terug.'
Voor Ranah kan protesteren is ze al verdwenen.

Bram heeft het eerst niet druk, maar na een half uur staan ze te dringen.
'Handlijnkundige, consult een gulden, per vijf minuten' staat op een bord.
Bram heeft een tent die je kunt afsluiten, want mensen die hun hand laten lezen willen privacy hebben, heeft hij Schele Piet uitgelegd.
'Dat ritsel ik wel even, professor,' zei Schele Piet en daar zit Bram dan in zijn dichte tent. Je kunt erin kamperen als je wilt.
Bram ziet er indrukwekkend uit. Hij heeft een tulband op zijn hoofd, een zwarte snor, en een grote zegelring om zijn middelvinger.
Zijn eerste klant is Jerry.
'Ik heb maar een kwartje,' begint Jerry.
'Dat is niet genoeg.'
'Weet ik, maar ik hoef maar één minuut.'
Bram denkt na. Het is nog niet druk en een kwartje is altijd meer dan niks.
'Nou, goed dan.' Hij zet de kookwekker die hij van zijn moeder heeft geleend, op zestig seconden.
Jerry laat het kwartje in een groot spaarvarken glijden en legt zijn hand op tafel.
'Ik wil weten of we zondag winnen,' zegt hij, 'dan spelen we tegen Vitesse.'
'Dat staat niet in je hand,' zegt Bram.
'Gaat de wedstrijd dan niet door?' vraagt Jerry teleurgesteld.
'De uitslag van een wedstrijd staat niet in de lijnen,' zegt Bram.
'Dat is niet belangrijk genoeg.'
'Niet belangrijk?' roept Jerry beledigd. Hij heeft al spijt van het kwartje, dat had hij beter kunnen besteden.
'Lijnen vertellen je iets over je karakter en aanleg,' zegt Bram.
'Dat interesseert me niks. Ik wil alleen weten of we winnen.'
Bram buigt zich over Jerry's hand.
'Er wacht een grote toekomst op je,' zegt hij.

'Word ik een beroemde voetballer?'
'Niets is onmogelijk als je het echt wilt,' zegt Bram.
Jerry straalt.
'Wanneer? Staat dat er ook bij?'
De wekker gaat af, ze schrikken er allebei van.
'De minuut is om,' zegt Bram.
'Je kunt toch wel even zeggen wanneer ik voetballer word?'
'Nee,' zegt Bram, 'je hebt maar een kwartje betaald.'
Jerry staat zuchtend op en verlaat de tent. Hij loopt naar zijn ei-
gen plaats op het plein: een stoel met een stuk karton ervoor,
waarop staat: 'Handtekening van een beroemde voetballer kost
vijftig cent.' Jerry is van plan zijn handtekening te verkopen.

Daarna krijgt Bram bezoek van Debbie. Die ziet er prachtig uit
in haar pak vol glitters. Ze lijkt net een popster en gaat tegenover
hem zitten alsof ze veertien is.
Hij vergeet bijna om een gulden te vragen, maar gelukkig laat
Debbie die al in het spaarvarken glijden. Ze legt haar beide han-
den op tafel.
'Je moet wel even je handschoenen uitdoen,' zegt Bram.
'O, ja...' Debbie giechelt en trekt haar witkanten handschoen-
tjes uit.
Bram kijkt ernstig in haar rechterhand.
'Interessant,' mompelt hij.
'Wat zie je dan?' Debbie vindt het toch wel een beetje eng.
'Er wacht een grote toekomst op je,' begint Bram plechtig.
Hij haalt een vergrootglas te voorschijn en vertelt dat ze erg ge-
voelig is en aantrekkelijk voor het andere geslacht.
Debbie vergeet te giechelen, ze vergeet zelfs dat Bram Bram is.
Tegenover haar zit iemand die alles van haar weet. Ze schrikt als
plotseling de kookwekker afgaat.
'De vijf minuten zijn om,' zegt Bram.
'Nu al?' Debbie grabbelt zenuwachtig in een klein kanten tasje.
'Ik wil nog een keer,' zegt ze, en luistert ademloos verder.
'Je hebt veel talent,' ziet Bram, 'vooral voor dansen.'
Debbie krijgt het warm. Bram ontdekt ook nog ergens een ster
in haar hand.

'Interessant... interessant.' Bram drukt zijn snor wat vaster aan.
'Betekent dat dat ik popster word, of filmster?'
'Niets is onmogelijk als je het echt wilt,' is het antwoord.
'Dan word ik popster,' glundert Debbie.
Helaas gaat de wekker weer af. Ze zou best nog een keer willen,
maar ze heeft geen geld meer, jammer. En ze moet optreden.
Debbie trekt haar handschoentjes weer aan en loopt naar buiten,
waar vier kinderen wachten op een beurt.
'Hij is hartstikke goed,' vertelt ze enthousiast. 'Ik word later
popster.'
Vol zelfvertrouwen zweeft ze weg naar een klein podium, mid-
den op het plein, en zet de muziek keihard aan.

Bram is net bezig met een jongen uit groep acht, als Linda bin-
nenstormt. Ze herkent Bram haast niet, zo anders ziet hij eruit;
alleen zijn bril is hetzelfde.
'Eruit,' roept Bram verstoord, 'je moet je beurt afwachten.'
'Ik kom niet voor mijn hand,' vertelt Linda gejaagd. 'Ik moet je
wat zeggen. 't Is erg belangrijk.'
'Nou, goed dan,' zegt Bram, en tegen de jongen: 'Wil je even
naar buiten gaan?'
De jongen staat gewillig op en verdwijnt.
'Het is haar broer,' gooit Linda er uit.
Bram begrijpt niet wat ze bedoelt.
'Mariek van de meester. Ze heeft geen ander. Het is haar twee-
lingbroer. Ze kwamen allebei stroopwafels kopen.'
Bram pakt zijn vergrootglas eerst op en legt het weer voorzich-
tig neer.
'Dan zitten we goed fout,' zegt hij.
Dat had Linda ook al gedacht.
'Wat moeten we doen?'
'Weet ik nog niet. Maar waarschuw de anderen in elk geval.'
Linda knikt en gaat naar buiten.
'Je mag weer,' zegt ze tegen de jongen, die heel enthousiast
rondvertelt dat zijn hand vol mogelijkheden zit.
Linda holt eerst naar Jerry. Die hangt wat rond. Hij is erg teleur-
gesteld dat niemand zijn handtekening wil kopen.

'Wil je een handtekening?' vraagt hij hoopvol aan Linda.

'Nee, nee...' hijgt Linda. 'Ik moet je alleen wat vertellen. Mariek van de meester heeft geen ander. Het is haar broer.'

Jerry's mond valt open. 'Haar broer??? En ze gaf hem een zoen!'

Jerry denkt aan zijn zusje Bianca. Hij ziet het al!

'Ja, dat is zo. Haar broer vaart. Ze was zo blij hem weer te zien, daarom.'

'O,' zegt Jerry, 'moeten we dan weer een brief aan de meester schrijven?'

'Ben je gek!' zegt Linda. 'Die weet natuurlijk allang dat het haar broer is.'

'Ik vertel het wel aan Achmed,' zegt Jerry. Dan heeft hij meteen een smoes om naar de antiekhoek te gaan. Misschien kan hij daar helpen, dan hoeft niemand te weten dat zijn handtekeningen niks opbrengen.

Bram heeft het nog steeds druk. Hij heeft nauwelijks tijd om iets te drinken of te eten.

Nu komen er zelfs twee mensen binnen. Bram schrikt, het zijn de meester en Mariek.

Zenuwachtig drukt hij zijn snor wat vaster aan.

Mariek wil eerst. Bram buigt zich over haar handen.

'Er schuilen talloze mogelijkheden in u,' begint hij. 'U bent gevoelig, creatief en u hebt veel gevoel voor humor.'

'Klopt,' zegt de meester, 'daarom viel ik voor haar.'

Bram knijpt zijn ogen half dicht.

'Is het mogelijk dat u iemand heeft teruggezien waar u erg op gesteld bent?'

'Ja, mijn broer,' roept Mariek uit, 'mijn tweelingbroer!'

'Hij verdwijnt weer uit uw leven,' zegt Bram, 'tijdelijk.'

'Dat kan,' zegt Mariek, 'mijn broer vaart. Staat dat allemaal in mijn hand?' Bram knikt.

'U gaat ook een reis maken,' zegt hij, 'naar het buitenland.'

'Ja, naar Portugal! Wat goed zeg!'

Dan mag meester Hans.

Nu wordt Bram nog zenuwachtiger. Hij kucht en schuift heen en weer op zijn stoel.

Eerst vertelt hij dat er talloze mogelijkheden in meester Hans schuilen. Daarna dat hij sportief is en meeleeft met anderen, vooral met kinderen. Daar schiet hij heel goed mee op.

De meester knikt, dit hoort hij graag.

Dan tuurt Bram extra scherp door zijn vergrootglas. Hij kucht weer.

'Ik zie iets wat ik persoonlijk met u wil bespreken,' zegt hij wat trillerig.

'Dan ga ik wel naar buiten.'

Mariek verdwijnt al.

'Wat zie je dan?' vraagt de meester, als ze alleen zijn.

Bram verzamelt al zijn moed.

'U heeft kort geleden een brief ontvangen.'

'Brief?'

'Een anonieme brief.' Zweet prikt op zijn rug.

Het gezicht van de meester verandert.

'Inderdaad. En als ik ergens een hekel aan heb, dat is het wel aan anonieme brieven.' Zijn stem is van ijzer.

Bram knippert met zijn ogen. Hij durft niet op te kijken.

'Zie je ook wie het heeft gedaan?'

'Ja,' bekent Bram zachtjes, 'maar ik wil geen namen noemen. Ze wilden u helpen, we... eh ze dachten dat eh...'

'Dat Mariek me beduvelde, omdat ze haar met iemand anders zagen lopen, en vonden dat ik dat moest weten. Zit het zo?'

Bram heeft het erg benauwd; de tulband brandt op zijn hoofd.

'Mariek gaf die iemand anders een zoen. Ze wisten niet dat... dat het haar broer was en toen... en toen dachten we... ze... dat ze anders u beduvelden omdat zij dat hadden gezien, en u niet, en daarom vonden ze dat u het moest weten.'

'Vonden ze niet dat dat mijn zaak was?'

'Aan de ene kant wel... eh, maar aan de andere kant niet, omdat u onze meester bent, maar toch was het een vergissing.'

'Reken maar,' zegt de meester, 'ik was des duivels.'

Dat hebben we gemerkt, denkt Bram, maar hij zegt: 'Ze hebben er spijt van, vooral één.'

De meester schraapt zijn keel.

'Ik hoop dat zoiets nooit meer gebeurt.'

'Nee, meester.' Hij schudt zo heftig zijn hoofd dat de tulband scheefzakt.

'Staat er nog meer in mijn hand?'

Bram tuurt beverig door zijn vergrootglas.

'U gaat ook een reis maken naar het buitenland.'

'Portugal toevallig?'

'Ja,' zegt Bram, 'Portugal.'

De kookwekker gaat af. Meester Hans haalt zijn portemonnee te voorschijn en legt een rijksdaalder op tafel.

'Laat maar zitten,' zegt hij, 'het was de moeite waard mijn hand te laten lezen. Ik ben een boel wijzer geworden.'

De ontdekking van Hassan

Hassan doet goeie zaken, hij tekent portretten. Meester Hans heeft voor tekenpapier en potloden gezorgd. Ook schreef hij op een stuk karton: 'Hassan, portrettekenaar, f 1,-- per portret, 3 voor f 2,50'.

Zijn hoofd zit niet meer in het verband. Hij heeft nog wel een pleister op zijn voorhoofd, boven zijn rechteroog. Af en toe steekt de wond nog een beetje, maar dat kan hem niks schelen.

Ze zijn allemaal bij hem thuis op bezoek geweest, zelf de meester en Mariek.

Hassan is druk bezig met een klein meisje. Ze wil niet goed stilzitten en daarom geeft haar moeder haar een lolly. Dat helpt.

Hassan tekent haar met de lolly en dat vindt de moeder prachtig.

'Je lijkt Van Gogh wel,' zegt ze en geeft hem één gulden vijfentwintig.

'Te veel.' Hassan wil het kwartje teruggeven.

'Dat is voor de lolly.' De vrouw wijst naar de lolly.

Hassan begrijpt het en lacht.

'Dank u wel.' Hij stopt het geld in een doosje.

Dan krijgt hij bezoek van Schele Piet. Die gaat breeduit zitten en zegt: 'Maak d'r wat moois van, jongen.'

Hassan staat in tweestrijd. Hoe moet hij deze opdracht uitvoeren, met of zonder schele ogen? Zonder, besluit hij.

Hij tekent Schele Piet zoals hij is; grote kop en grote oren, steil haar. Alleen kijken nu zijn ogen je kaarsrecht aan.

'Klaar,' zegt Hassan. Hij wacht angstig af als hij het portret overhandigt.

Schele Piet bekijkt zichzelf aandachtig. Hij houdt de tekening vlakbij zijn neus en dan veraf.

'Je staat er mooi op, Piet,' vinden een paar mensen, die over zijn schouder meekijken.

"'t Is een kunstwerk,' geeft Schele Piet toe, 'maar ik mis m'n handelsmerk.'

'Prachtig, jongen,' zegt hij tegen Hassan, 'prachtig mooi, maar nu even zoals ik echt ben.' Hij wijst naar zijn ogen en kruist zijn twee wijsvingers. 'Scheel dus.'

Hassan heeft het begrepen en gaat enthousiast aan de slag. Opnieuw de stoere kop en grote oren, de forse neus en mond, waarvan de hoekjes omhoogkrullen. Dan de ogen... Hassan doet zijn uiterste best. Vrolijk lachen de schele ogen van Pietje toe.

Schele Piet is meer dan tevreden met de tekening. Hassan krijgt er zelfs drie gulden voor.

'Die laat ik inlijsten,' vertelt hij aan iedereen.

Wat later komen twee mannen aanslenteren. Ze stoten elkaar aan en wijzen naar Hassan. Ze maken grapjes die Hassan niet verstaat, maar waar ze zelf erg om moeten lachen.

'Tekening?' Hassan maakt een uitnodigend gebaar naar de stoel.

Een van de mannen gaat zitten. Hij heeft blonde krullen, daar kan hij iets moois van maken.

Hassan begint ijverig te werken. De man blijft doorpraten tegen zijn vriend en hij beweegt steeds.

Hassan wacht even tot hij weer stil zit.

Ineens... Hassan staart verbaasd naar het jack dat de man draagt. Op zijn kraag zit dezelfde knoop die hij thuis in zijn verzameling heeft! De knoop met de kop van een adelaar. De knoop die Linda in de klas vond, op de ochtend na de inbraak. Zijn blik gaat snel naar de andere man. Ook hij heeft zo'n knoop op zijn kraag, dezelfde...

Hassans hersens werken koortsachtig. Er is iets met die knoop, voelt hij aan. Die knoop betekent iets.

Hij tekent razendsnel verder. Het gezicht van de man is nu duidelijk herkenbaar, maar op het laatste ogenblik laat hij zijn potlood met opzet uitglijden. Een zwarte kras staat dwars over het papier.

'Sorry... moet over,' zegt Hassan.

Hij frommelt de tekening in elkaar en gooit hem onder zijn stoel. De tweede tekening gaat vlot. Hassan maakt hem nog knapper en de man knikt tevreden als hij zichzelf ziet.

Nu wil de andere ook. Hassan maakt hem eerst expres lelijker.
'Ben ik dat?' vraagt de man boos. Hij wil de tekening niet hebben.
'Ik maken andere,' zegt Hassan.
Deze keer tekent hij een soort stripfiguur met een brede kin en trotse blik.
'Je zou succes hebben bij de meiden als je er zo uitzag,' grinnikt zijn vriend.
De man pakt de tekening en wil weglopen.
'Betalen,' zegt Hassan flink. 'Twee gulden.' Hij steekt twee vingers de lucht in.
De man haalt zijn schouders op en drukt hem twee kwartjes in zijn handen.
'Dat is...' begint Hassan, maar de twee lopen grinnikend weg.

Om vier uur is de markt afgelopen. De kinderen brengen de opbrengst naar de meester en vegen het schoolplein schoon. Schele Piet en een paar jongens uit groep acht breken de kraampjes af.
Hassan heeft zijn papier en geld al naar binnen gebracht. Hij is op zoek naar Linda, maar kan haar eerst niet vinden. Eindelijk ontdekt hij haar.
'Ik jou spreken,' zegt hij dringend.
Linda is verbaasd. Anders is Hassan nogal verlegen, maar nu pakt hij zomaar haar arm en trekt haar mee.
Ze verlaten het schoolplein. Eerst zegt Hassan niks. Hij stapt stevig door; Linda kan hem nauwelijks bijhouden.
Na een tijdje, als ze bij een portiek aankomen, staat hij stil. Hij gaat op een stenen trapje zitten. Linda doet hetzelfde, kan ze tenminste even uitblazen.
Hassan haalt twee stukken opgevouwen papier uit zijn zak en strijkt ze voorzichtig glad. Hij laat er een aan Linda zien.
'Hee, die lijkt op... die lijkt op Fred Bruins,' zegt Linda.
Hassan kijkt haar gespannen aan.
'Jij die man kennen?' vraagt hij.
Linda knikt. Ja, dat is Fred Bruins, bij wie Debbies moeder nu woont; ze weet het zeker.

Dan laat Hassan de andere tekening zien.
'Kennen jij die?'
'Nee,' zegt Linda, 'waarom?'
'Die man en die man hebben die knop,' zegt Hassan. Je hoort aan zijn stem dat hij opgewonden is.
'Knop?' Linda snapt het niet.
'Jij geven mij knop, mooie knop uit klas. Sielver.'
Nog steeds begrijpt Linda het niet. Wat bedoelt Hassan met een knop?
Hassan wordt ongeduldig. Waarom spreekt Linda ook geen Marokkaans, dat zou alles veel eenvoudiger maken.
Hassan wijst naar een knoop op zijn blouse.
'Knoop!' roept Linda uit.
Ja, knikt Hassan. Dat zei hij toch.
Nu herinnert Linda zich weer alles. Hoe zij de knoop vond in de klas op de ochtend na de inbraak en hem later aan Hassan gaf.
'Die man en die man hebben die knop. Daar.' Hassan wijst naar de kraag van het jack op de tekening.
Linda staart Hassan verbijsterd aan.
'Weet je het zeker?' vraagt ze ademloos.
'Zeker weten,' antwoordt Hassan heel beslist.

Hassan gaat eerst thuis de knoop halen. Dan hollen ze naar Bram. 'Bram is nog niet thuis,' zegt zijn moeder. 'Hij zal nog wel op de markt zitten.'
'Maar de markt is al afgelopen,' vertelt Linda.
'Dan weet ik ook niet waar hij uithangt.'
Linda en Hassan lopen terug naar school, maar onderweg komen ze Jerry en Achmed tegen, die een matras versjouwen.
'Niemand wou een antiek matras kopen. Nou moet-ie terug naar de zolder van Ruud,' hijgt Jerry.
'We moeten jullie wat vertellen,' zegt Linda, 'Hassan heeft iets heel belangrijks ontdekt.'
De matras wordt tegen de muur gezet en Linda doet haar verhaal. Jerry en Achmed worden er helemaal opgewonden van.
'Dat moet Bram weten,' zegt Achmed meteen. 'Maar eerst moet dat rotmatras terug naar Ruud.'

Linda en Hassan helpen mee sjouwen. Ze moeten bij Ruud drie steile trappen op. De laatste heeft een gemene bocht waar Linda bekneld raakt. Ze kan geen kant meer uit. Na veel duwen en wurmen komt ze weer los. Wat een klus!

Dan weer terug naar school. Een paar jongens uit groep acht zijn nog steeds bezig met opruimen.

'Hebben jullie Bram gezien?' vraagt Achmed. 'Hij is klein met een bril op.'

"k Geloof dat-ie binnen zit, bij meester Hans,' zegt een jongen.

Het is zo. Ze zijn net klaar met geld tellen en zien er alle twee meer dan tevreden uit.

'We hebben ruim vierhonderd gulden,' roept Bram enthousiast. Als hij mee naar buiten gaat zegt Jerry: 'We moeten je wat vertellen.'

Linda doet opnieuw het verhaal van de knoop. Bram hoort het schijnbaar onbewogen aan, maar toch merk je aan de manier waarop hij zijn broek ophijst dat geen woord hem ontgaat.

Hassan laat de portretten zien. Ook Bram herkent Fred Bruins, maar de ander heeft hij nooit gezien.

'Wat denk je d'r van?' vraagt Jerry. Hij is teleurgesteld over Brams reactie.

Bram tilt voorzichtig de bril van zijn neus en begint hem schoon te poetsen. Zijn gezicht ziet er erg bloot uit. Dan zet hij de bril weer terug waar hij thuis hoort.

'Hassan, je bent geweldig,' zegt hij.

Hassan hoort aan de toon dat het een compliment is. Hij straalt alsof hij geslaagd is voor een examen.

'Door Hassan zijn we waarschijnlijk op een heel belangrijk spoor gekomen. We zullen nu uiterst voorzichtig een plan de campagne moeten uitstippelen.'

'Een wat???' roepen ze.

'Een plan voor de aanval,' legt Bram plechtig uit.

Absolute geheimhouding

Linda woelt en draait, ze kan niet in slaap komen. De gebeurtenissen van de afgelopen dag malen door haar hoofd en houden haar wakker.

Eerst de markt en toen Hassan met zijn ontdekking. Daarna Bram met zijn plan de compagnie of zoiets. In dat plan heeft zij een belangrijke rol.

Linda gooit zich op de andere zij, ze krijgt het benauwd als ze eraan denkt.

Bram heeft absolute geheimhouding geëist. Niemand mag er iets van weten, zeker Debbie niet. Linda vindt het moeilijk iets voor Debbie te verzwijgen, vooral nu ze weer vriendinnen zijn.

'Als zij dit hoort kan ze het zo overbrieven aan haar moeder en dat moeten we juist vermijden,' zei Bram.

Ook wil Bram meer bewijsmateriaal.

Zij, Linda, moet een huiszoeking doen bij Fred Bruins, want zij kent Debbies moeder.

'Hoe moet ik dat dan doen?' had ze gevraagd.

'Je bedenkt maar wat,' zei Bram. Ja, makkelijk praten. Bram heeft daar nooit moeite mee. Ze kan toch niet zomaar aanbellen en vragen: 'Dag, mevrouw, mag ik even binnenkomen en het huis doorzoeken?' Wat valt er trouwens te zoeken?

Bram wist dat ook niet.

'Je moet juist zoeken om iets te vinden,' zei hij.

'Wat vinden dan?' had ze wel tien keer gevraagd.

Toen was Bram ongeduldig geworden.

'Als we dat wisten hoefde je niet te zoeken. Die Fred heeft iets met die inbraak op school te maken, daar ben ik zeker van. Maar die knoop alleen is als bewijsmateriaal niet genoeg. Er moet meer zijn. En daar moet jij achter zien te komen.'

Linda zucht. Dit is niks voor haar. Ook al niet omdat ze er niet over kan praten met Debbie. Erger nog, ze moet het achter Debbies rug doen.

Linda hoort de klok in de gang elf keer slaan.

Vreemd genoeg valt ze op de een of andere manier toch in slaap, en als ze weer wakker wordt is het al flink zondag.

In de eerstvolgende dagen gebeurt er ontzettend veel.

Een televisieploeg komt op school. Ze filmen de school en de gang, ze praten met de directeur, en dan komen ze in de klas van meester Hans.

De kinderen vinden het toch wel spannend.

Jerry krijgt een microfoon voor zijn mond en mag vertellen wat er op school is voorgevallen. Hij schreeuwt nog harder dan anders.

'Nou, ze hebben twee keer ingebroken, weet je, en alles volgeklad. Dat de zwarten weg moesten en zo. En ze hebben het hele aquarium kapotgeslagen en de vissen doodgemaakt, en toen moest Ranah hartstikke veel huilen, die daar.'

Jerry wijst naar Ranah, die bescheiden de camera in kijkt.

'En toen hebben de meester en Mariek, dat is z'n vriendin, ja toch, hè mees, nou toen hebben de meester en Mariek dus, en Schele Piet en nog een paar, alles weer overgeverfd, kijk maar.'

Jerry wijst naar de witte muren. 'Je ziet er niks meer van,' merkt hij tevreden op. 'En toen kreeg Debbie, o nee, Linda was het, die dikke daar, toen kreeg Linda het idee voor een markt voor 't goeie doel.'

'En wat was dat goeie doel?'

'Nieuwe vissen natuurlijk, en een nieuw aquarium en konijnen, want die hebben ze ook doodgemaakt, weet je, en de marmotten ook,' loeit Jerry verontwaardigd, 'op een na, die was achter de vuilnisbak gekropen.'

'Wat vind je daar nou van dat mensen zoiets kunnen doen?'

Jerry vindt dat zo'n achterlijke vraag dat hij zo gauw geen antwoord weet.

Debbie wel. Die wil heel graag op de televisie, want dan is ze beroemd. Ze zwaait opzichtig met haar vinger.

95

De microfoon komt nu bij haar. Debbie trekt een belangrijk gezicht.

'Ik vind het heel erg,' antwoordt ze alsof ze iets uit een boek voorleest.

'En jij?'

Deze vraag wordt aan Bram gesteld. Bram schraapt zijn keel en geeft zijn bril een zetje.

'Er is een duidelijke hetze tegen de allochtonen.'

'Doen die buitenlanders daar ook wat tegen?'

De microfoon verhuist naar Achmed, die even diep nadenkt.

'Ja,' zegt hij eindelijk, als je al geen antwoord meer verwacht, 'nieuwe ruiten inzetten.'

'Hoe bedoel je?'

'Nou, als ze dus bij m'n vader, die heeft een theehuis, als ze dus bij m'n vader een ruit ingooien, dat is dus al twee keer gebeurd, dan laat-ie er dus een nieuwe inzetten.'

Dan mag Linda wat vertellen over de markt. Dat ze vierhonderdachtentwintig gulden hebben ingezameld, o nee, vijfhonderdachtentwintig, want meneer Hendriks, de fietsenmaker, heeft nog honderd gulden extra aan de meester gegeven.

Ze stottert niet één keer en vergeet zelfs rood te worden.

Nog diezelfde avond wordt het uitgezonden op het jeugdjournaal. Jerry zit al een uur te wachten voor de televisie. Hij krijgt ruzie met zijn zusje Bianca, omdat zij naar een popprogramma wil kijken op het andere net.

'Die stomme kop van jou zie ik live al meer dan genoeg,' jent ze.

Maar ze is toch trots als ze haar broer op het scherm ziet, ook al zegt ze dat hij er zo superachterlijk uitziet dat ze morgen niet meer naar school durft, omdat iedereen haar zeker zal uitlachen.

Een dag na de televisieuitzending staat Debbies moeder voor de school te wachten met Robbie. Debbie holt blij naar haar toe en vliegt haar om de hals. Daarna krijgt Robbie een beurt.

'Heb je me gisteren op teevee gezien?'

Haar moeder knikt stilletjes. Ze is mager geworden, de spijkerbroek slobbert om haar heen.

'Goed was ik, hè?'

Opnieuw knikt haar moeder.

'Ik wou je wat vragen,' zegt ze, 'kun jij morgenmiddag een tijdje op Robbie passen?'

'Tuurlijk,' roept Debbie. 'Het is toch woensdag, dan heb ik 's middags vrij.'

Debbie weet dat het eigenlijk niet mag. Haar vader verbiedt haar nog steeds naar Fred Bruins te gaan. In het weekeinde haalt hij Robbie op en dan gaan ze met z'n drieën wandelen, maar die wandelingen zijn helemaal niet gezellig. Haar vader wordt er alleen maar somber van, vooral als hij Robbie weer moet terugbrengen.

'Ik ga morgen wel met je mee,' zegt Linda, 'mag dat?'

Haar hart slaat als een trom, dit is haar kans.

'Mij best,' zegt Debbies moeder.

Ze lopen samen een eindje door de straat. Dan ziet Linda Bram.

'Ik moet Bram nog wat vragen over een som,' zegt ze. Waar de leugens vandaan komen snapt ze zelf niet. Hijgend haalt ze Bram in.

'Bram, 't is gelukt,' stoot ze er opgewonden uit.

'Wat gelukt?'

'Morgen moeten Debbie en ik babysitten in het huis van die Fred Bruins.' Ineens betrekt haar gezicht.

'Maar hoe moet dat dan met Debbie? Ik kan niks doen als zij in de buurt is.'

'Daar bedenk ik wel wat op,' belooft Bram. Hij hijst energiek z'n broek op.

Linda is opgelucht. Als Bram dat zegt weet je zeker dat het in orde komt.

Babysitten

Linda is met haar gedachten niet bij de les. Gelukkig krijgt ze geen beurt. Steeds moet ze aan vanmiddag denken, dan gaan ze babysitten bij Fred Bruins. Af en toe kijkt ze naar Bram, maar die gedraagt zich net als altijd.
Als de school uitgaat lopen Debbie en Linda samen naar huis.
'Ik kom je vanmiddag wel halen, goed?'
'Goed,' zegt Linda, 'heb jij Bram nog gesproken?'
'Bram? Nee, hoezo?'
'O, zomaar,' antwoordt Linda.
Net op dat ogenblik komt Bram aanhollen.
'Ik moet je even spreken,' zegt hij tegen Debbie.
Debbie is verbaasd. Wat zou Bram willen?
'Tot straks,' roept Linda vlug en loopt haastig verder.

Om kwart voor twee staat Debbie voor Linda's deur.
'Weet je wat Bram wilde?' vertelt ze. 'Dat ik vanmiddag bij hem kwam om mijn hand nog eens te laten lezen. Ik heb interessante lijnen,' zegt hij.
'En doe je dat?' vraagt Linda.
'Nee, ik zei dat ik vanmiddag op mijn broertje moest passen. Ik ga wel een andere keer.'
Linda staat stil van schrik. Als Debbie in huis blijft kan zij niks doen.
'Wat is er?' vraagt Debbie.
'Je mag best weggaan, hoor. Ik vind het eigenlijk wel leuk om alleen te zijn met Robbie. Dan is het net of ik een broertje heb.'
Ze wacht gespannen af. Debbie staat in tweestrijd, dat is duidelijk.
'Ik wou dat ik interessante lijnen had,' gaat Linda verder. 'Ik zou hartstikke nieuwsgierig zijn wat Bram te vertellen had.'

'Ben ik eigenlijk ook,' bekent Debbie, 'maar vind je het echt niet erg?'

'Nee hoor, als je maar niet de hele middag wegblijft,' antwoordt Linda schijnheilig.

'Tuurlijk niet, even maar.'

Nu blijft Debbie staan.

'Wat is er?' vraagt Linda op haar beurt. Ze is bang dat ze zich heeft bedacht.

'Nu weet Bram niet dat ik kom,' zegt ze.

'Je kunt toch opbellen.'

'O, ja.' Stom dat ze daar niet opkwam.

Ze stappen flink door en al gauw zijn ze in de Kuiperstraat, waar Fred Bruins woont.

Debbies moeder staat al te wachten. Ze loopt zenuwachtig door de kamer.

'Het is of Robbie voelt dat ik wegga,' zegt ze. 'Anders slaapt hij om deze tijd, maar nu is hij klaarwakker.'

'Leuk toch,' zegt Debbie, 'kunnen we met hem spelen.'

Ze omhelst haar moeder en klemt zich aan haar vast.

'Rare,' zegt haar moeder wat verlegen, 'laat je me nou los, of niet?' Ze aait over Debbies haar.

'Je hebt klitten,' zegt ze, 'je borstelt je haar niet goed.'

'Dat zegt papa ook. Die borstelt het wel es, maar hij kan het niet goed. Jij doet het veel beter.'

Haar moeder wendt snel haar blik af.

'Nou, dan ga ik maar. Er staat frisdrank in de ijskast en er liggen koekjes op het aanrecht. Tot straks.'

Als Debbies moeder weg is gaan ze meteen naar Robbie, die ligt te jengelen. Maar hij houdt op als ze hem uit bed halen.

Debbie knuffelt hem tot ze geen adem meer heeft. Robbie krijgt er genoeg van en trappelt ongeduldig met zijn beentjes. Hij wil kruipen.

'Ik zou Bram maar opbellen,' zegt Linda na een tijdje.

'O, ja.'

Debbie is Bram helemaal vergeten, zo blij is ze haar broertje weer te zien.

Ze zoeken het telefoonnummer op. Brams moeder komt aan de lijn.
'Is Bram ook thuis?' vraagt Debbie.
Linda wacht gespannen op het antwoord.
Debbie legt de hoorn heel snel op de haak.
'Bram is er niet,' zegt ze, 'dus blijf ik maar hier.'

Linda is wanhopig. Ze kan niks doen, Debbie zou meteen argwaan krijgen. Een half uur gaat voorbij.
Robbie kruipt als een krab over de vloer. Enthousiast smijt hij speelgoed door de kamer of hijst zich omhoog aan een stoel, waar hij met trillende knietjes blijft staan.
Debbie heeft alle aandacht voor haar broertje. Het valt haar niet eens op dat Linda telkens onrustig naar de klok kijkt.
Die stomme Bram. Waarom is hij ook niet thuis, hij laat haar mooi zitten. Linda peinst zich suf, ze moet iets bedenken.
Plotseling krijgt ze een idee.
'Weet je waar ik zin in heb? In iets lekkers,' zegt ze.
'Ga maar naar de keuken, mama heeft wat klaargezet.'
'Ik heb geen zin in koekjes, ik heb zin in ijs.'
'En je houdt niet van ijs!' roept Debbie.
'Nu wel. Wil jij ook een ijsje?' Ze kijkt Debbie hoopvol aan.
''k Weet niet… ik heb trouwens ook geen geld.'
'Ik wel,' zegt Linda vlug, 'ik heb mijn zakgeld nog. Twee gulden. Daar kunnen we allebei een ijsje van kopen. Maar dan moet jij ze halen.'
'Waarom ik?'
'Omdat jij een ijsje cadeau krijgt.'
'Maar ik heb er eigenlijk niet zo'n zin in.'
'Wat zeur je toch!' valt Linda uit. 'Nu krijg je een ijsje en je wilt hem niet eens halen.'
'Jij kunt het toch ook doen?'
Linda kan wel stampvoeten. Waarom doet Debbie zo moeilijk.
'Nou goed, ik ga al,' zucht Debbie.
Linda geeft haar twee gulden. Daar gaat haar zakgeld dan, mooi weggegooid door die stomme Bram.
Als Debbie weg is weet Linda niet eens waar ze moet beginnen.

Haastig trekt ze een paar laden open. Ze ziet zakdoeken, sokken, oorbellen en kettingen; niks bijzonders.

Ze duikt de gangkast in, die vol staat met bezems, emmers en kratjes bier. Ze stoot tegen een paar flessen die omvallen en schrikt van het gerinkel.

Dan gaat de bel. Zou Debbie nu al terug zijn?

Vlug tilt ze Robbie op die haar achterna is gekropen en loopt naar de deur.

Het is Bram.

'Jij bent ook een mooie!' valt Linda uit, 'ik zit met Debbie opgescheept en kan niks doen.'

'Is ze thuis?'

'Nee, ze is even weg om een ijsje te kopen. Het kost me al mijn zakgeld.'

Bram is niet onder de indruk.

'Ga jij maar naar binnen, ik vang Debbie wel op. Maak je geen zorgen.'

Vlug mept ze de deur weer dicht en gaat verder met haar 'onderzoek'. Net als ze een keldertje heeft ontdekt, gaat opnieuw de bel.

'Het lijkt hier wel een winkel,' moppert ze, 'wat nou weer?'

Deze keer is het Debbie, met twee kleine ijsjes.

'Ik moest er wat aflikken, anders smolten ze,' vertelt ze.

'Weet je wie ik tegenkwam? Raad je nooit...'

'Nee,' zegt Linda.

'Bram! Ook toevallig, hè? Ik vertelde dat ik had opgebeld, maar dat-ie niet huis was. Hij moest bij een jongen zijn hier in de buurt. Die jongen heeft me op de markt zien playbacken en nu wil hij me spreken!' vertelt ze opgewonden. 'Hij staat voor de deur.'

'Wie? Die jongen?'

'Nee, Bram natuurlijk... We gaan samen naar die jongen toe. Die organiseert playbackwedstrijden, goed hè? Je vindt het toch niet erg?'

'Nee, hoor.'

Als Debbie de voordeur weer achter zich dichttrekt zucht Linda: 'Hè, hè, dat werd tijd.'

Bewijsmateriaal

Nu Linda rustig haar gang kan gaan is ze toch niet op haar gemak. Het is net of ze inbreekt, ook al wil ze niks stelen. In het keldertje is niks te vinden, in de huiskamer ook niet; misschien in de slaapkamer. Robbie kruipt haar achterna.

Linda staat voor een grote klerenkast. Aan de ene kant hangen jurken en broeken van Debbies moeder, aan de andere kant de kleren van Fred Bruins. Daaronder schoenen, een paar dozen met spulletjes van Robbie en grote pakken Pampers.

Wacht, ze zal eerst naar de knoop kijken op het jack. Er hangen een paar jacks, maar opeens ontdekt ze hem. Hassan heeft gelijk; hij zit op de kraag van een blauw jack.

Linda's hart gaat raar hameren en haar hand glijdt in de zak van het jack. Kleingeld, een pakje kauwgom, wat snippers papier. Andere zak. Niks...

Vreselijk om zo te snuffelen in andermans spullen. Aan de binnen-kant zitten nog een paar zakken. Weer niets bijzonders. In een van de zakken zit een gat, en niet zo'n kleintje ook. Zij heeft dat ook wel eens, dan valt alles in de voering. Ze voelt aan de zoom en jawel hoor, daar zit iets vierkants. Een zakagenda? Linda steekt haar vingers door het gat. Zou ze de onderkant van het jasje kunnen bereiken? Nee, net niet. Ze holt naar de keuken op zoek naar een schaar. Geen schaar, dan maar een aardappelmesje. Robbie denkt dat het een spelletje is en kruipt haar kraaiend achterna. Geeft niet, denkt Linda, hij snapt er toch niks van. Heel voorzichtig tornt ze de zoom van de voering los en wurmt het vierkantje eruit. Het is geen agenda, maar een klein blocnootje.

Ze bladert er snel doorheen. Niks bijzonders, er staan alleen een paar straten in en wat getallen.

Teleurgesteld wil ze het terugstoppen, maar dan hoort ze de voordeur dichtslaan, en stappen in de gang. Debbie? Dat kan niet, die heeft geen sleutel meegenomen. Haastig stopt ze het blocnootje in haar eigen zak en tilt Robbie op.

De deur van de kamer zwaait open en daar staat Fred Bruins. Hij vloekt als hij de rommel ziet en loopt meteen door naar de slaapkamer.

'Wat doe jij hier en wat betekent die klerezooi?'

Linda is blij dat ze Robbie heeft om vast te houden.

'Ik… ik ben aan het babysitten,' stamelt ze, 'Debbies moeder…'

Hij laat haar niet eens uitpraten.

'En wat moet jij in die kast?' Hij kijkt zo argwanend dat Linda even bang is dat hij doorheeft wat ze aan het doen is.

'Ik… ik zocht een luier. Robbie heeft een natte broek.' Hoe komt ze er zo vlug op!

Robbie zet het ineens op een krijsen.

'Hou op met dat gejank,' snauwt Fred. En tegen Linda: 'Je ruimt eerst die rotzooi op en dan ga je maar met dat joch naar buiten.'

'Hij… hij moet eigenlijk naar bed,' zegt Linda.

'Je doet wat ik zeg. Ik heb een uur vrij en ben niet van plan dat geblèr aan te horen.'

Hij draait zich om en loopt naar de keuken. Linda hoort even later de deur van de ijskast.

Vlug pakt ze een luier en sussend verschoont ze Robbie, die inderdaad een natte broek heeft. Haar benen zijn slap en trillerig, ze zal blij zijn als ze buiten is.

Dan ziet ze het aardappelmesje op de grond. Vlug verstopt ze het in de natte luier en doet de kastdeuren dicht.

Fred zit op de zwartleren bank met een pilsje. Linda loopt met Robbie op haar arm naar de keuken. De luier gooit ze in de vuilnisbak, het mesje legt ze ongewassen terug in de la. Als die Fred vanavond aardappels eet, zijn ze geschild met een natgepiest mesje, net goed!

Ze zet Robbie even in de box terwijl ze opruimt. Fred drinkt zwijgend en dreigend zijn pilsje en pakt de krant.

'Dus jij moet babysitten,' zegt hij ineens. Linda schrikt ervan.

'Ja, meneer.'

'Hoe lang?'
'Tot... tot Debbies moeder weer terug is.'
'En hoe laat komt ze terug?'
'Weet ik niet.'
Robbie begint opnieuw te huilen. De krant ritselt onheilspellend, Linda wordt er doodzenuwachtig van.
Ze haalt opgelucht adem als ze buiten staat, met Robbie in het wandelwagentje. Die steekt zijn duim in zijn mond, en het duurt niet lang of hij sukkelt in slaap.

Al een uur lang sjokt Linda met een slapende Robbie door de buurt. Steeds komt ze terug in de Kuiperstraat om te kijken of de lesauto van Fred Bruins er nog staat. Eindelijk is die verdwenen. Ze kan weer naar binnen om verder te zoeken.
Dan komt ze tot de ontdekking dat ze de huissleutel is vergeten. Wat een stommerd is ze! Zul je Bram horen.
En Debbie heeft ook geen sleutel. Staan ze mooi met z'n drieën op straat.
Eindelijk komt Debbie terug.
'Weet je wat er is gebeurd?' hijgt ze. 'Die jongen, die me op de markt heeft zien playbacken, vindt me hartstikke goed. Misschien mag ik meedoen aan een wedstrijd. En Bram heeft ook nog mijn hand gelezen,' ratelt ze opgewonden verder, 'en toen zei die... waarom lopen jullie buiten?'
'Zag Bram in jouw hand dat ik met Robbie buiten liep?' vraagt Linda stomverbaasd. Ook sterk.
'Nee... Dat vraag ìk natuurlijk. Waarom ben je niet in huis?'
'Omdat ik naar buiten moest van die stomme Fred,' vertelt Linda verontwaardigd.
'Kwam die dan thuis?'
'Ja, en toen begon Robbie te huilen en dat vond-ie lastig, en toen moesten we naar buiten. En nu heb ik geen sleutel.'
'Ik ook niet,' zegt Debbie, 'dus kunnen we er niet in.'
'Wat nu?' vraagt Linda.
'Dan gaan we gewoon naar mijn huis. Daarvan heb ik wèl een sleutel, er is toch niemand.'
Maar Debbie vergist zich.

Als ze de trap oploopt ziet ze twee mensen. Haar vader en haar moeder...

Bram wacht in zijn kamer op Linda. Jerry, Achmed en Hassan zijn er ook.

Hassan begrijpt niet alles, maar wel een heleboel. Linda is in het huis van Fred Bruins op zoek naar meer bewijsmateriaal. Hij hoopt dat ze terugkomt met een pot zwarte verf waarmee de muren op school zijn beklad. Maar Linda komt met lege handen.

'En?' Vier paar ogen kijken haar vol verwachting aan.

'Niks dus,' zegt Linda.

'Hoezo, niks?' vraagt Jerry.

'Nou, ik kon eerst niks doen door die stomme Bram...' begint Linda. Ze praat ongeveer tien minuten achter elkaar. Over Bram die niet thuis was, zodat Debbie thuis moest blijven. Daarna Fred Bruins die ook nog thuiskwam, en toen Debbies ouders, die ineens weer samen thuis waren.

'Heb je dan helemaal niks, niks ontdekt?' vraagt Achmed teleurgesteld.

'Ik heb de knoop op zijn jack gezien, dat wel,' zegt Linda. 'Het is dezelfde knoop. 'O ja, en toen...' Ze vertelt over het gat in de zak, de voering, en het aardappelmesje.

'Maar alles voor niks,' zucht ze. 'Ik vond alleen maar een stom blocnootje met een paar namen van straten en getallen d'r in. Kijk, dit...'

Ze haalt het blocnootje te voorschijn. Het ziet er niet indrukwekkend uit.

'Laat es zien,' zegt Bram.

Linda vertelt verder over die stomme Fred, die haar naar buiten stuurde met Robbie.

Bram luistert niet, hij bladert langzaam door het blocnootje, schijnbaar verstrooid. Als hij het allemaal heeft gezien, begint hij opnieuw.

Opeens staat hij op en duikt onder een kast, waar hij een stapeltje schriften vandaan haalt. Uit het stapeltje pakt hij een rood schrift.

'Wat doe je?' vraagt Jerry.

Bram maakt een ongeduldige handbeweging dat ze hem met rust moeten laten. Hij klapt het schrift open, kijkt van het schrift naar het blocnootje, en van het blocnootje naar het schrift.

Nieuwsgierig loeren ze mee over zijn schouder.

'Heb je wat ontdekt?' vraagt Jerry hoopvol.

'Ja,' antwoordt Bram. Zijn stem trilt van ingehouden opwinding.

Hij kan het zelf nog niet geloven.

'Wat dan? wat dan?' schreeuwen ze met z'n allen.

'Dank zij het schrandere speurwerk van Linda zijn we op een heel belangrijk spoor gekomen.'

Linda's mond zakt open. Door haar???

'Ja, door jou,' zegt Bram vol bewondering.

Uitgeslapen kinderen

Linda is op weg naar huis. Ze voelt zich stukken lichter dan ze is en zou willen dansen, maar durft niet.
Door haar 'huiszoeking' hebben ze iets heel belangrijks ontdekt.

Bram vertelde hoe hij maandenlang alles had bijgehouden in een schrift. De grote inbraken en vernielingen in de buurt had hij in het rood opgeschreven, de kleine in het zwart.
In het blocnootje stonden diezelfde 'grote voorvallen' opgetekend, maar dan afgekort en met de datum erbij. Wat nog belangrijker was, dat ze nu ook wisten waar en wanneer de eerstvolgende inbraak zou plaatsvinden…
'Waar dan?' wilden ze allemaal weten.
'Op de Sint-Jansschool in de Haringstraat.'
'Da's de school van m'n zus!' schreeuwde Jerry opgewonden, 'en wanneer?'
'Zaterdag aanstaande, dus over drie dagen.'
'Wat moeten we nu doen?' had Linda gevraagd.
'Ik denk dat het ogenblik is aangebroken om meester Hans in te schakelen. Wat vinden jullie ervan?'
Iedereen was het met Bram eens geweest.
'Wie moet dat doen?' vroeg Achmed.
'We kunnen stemmen,' stelde Bram voor.
Ze kregen allemaal een stukje papier, Hassan ook. Hij begreep dat hij iemand moest kiezen. 'Linda', schreef hij met grote letters, want dat vindt hij het aardigste meisje van de klas.
Bram kreeg drie stemmen en Linda twee.
'Ik zal zo snel mogelijk contact opnemen met meester Hans en jullie verslag uitbrengen van ons gesprek,' had Bram gezegd toen ze vertrokken.
Als Linda tegen zessen thuis komt ziet ze iets ongewoons.

Haar moeder leest een boek. Ze is zo verdiept dat ze Linda niet eens hoort binnenkomen. Ook Linda's vader niet, die vraagt: 'Wanneer gaan we eten?'
Haar moeder kijkt even op. 'Zei je wat?'
'Ik vroeg wanneer we gaan eten?'
'Eten? Hoe laat is het dan?'
'Zes uur.'
Haar moeder schrikt. 'Ik ben de tijd totaal vergeten.'
'Geeft niet, hoor. Dan haal ik toch wat van de Chinees,' zegt haar vader. 'Wat wil je hebben, bami of nasi?'
'Bedenk jij dat maar,' mompelt haar moeder, die weer in haar boek duikt.
'Zal ik vast de tafel dekken?' vraagt Linda.
Geen antwoord. Haar moeder is doof geworden, zelfs voor de telefoon, die rinkelt.
Linda loopt naar de gang en neemt de hoorn op. Het is oma.
'Is je moeder thuis?' vraagt ze.
'Ja, oma,' antwoordt Linda.
'Mag ik haar even?'
'Oma voor je aan de telefoon,' zegt Linda als ze weer naar binnen gaat.
'Zeg maar dat ik er niet ben.'
'Kan niet meer. Ze vroeg of je thuis was, en ik zei "ja".'
Haar moeder hijst zich zuchtend uit haar stoel.
Linda kijkt naar het boek. *Hoe leer ik nee zeggen*, is de titel. Ze moet erom lachen. Het zal haar benieuwen of dat lukt met oma!
'Maar moeder, we gaan eten,' hoort Linda.
Stilte.
'Vanavond nog? Kan het niet morgen?'
Stilte.
'Ja, maar...'
Korte stilte.
'Ja, maar...' en dan: 'Nee, moeder... Nee, echt niet, moeder.'
Linda's moeder komt de kamer weer in, haar wangen branden. Ze ploft neer in de stoel en begint zich te krabben.
'Wat wilde oma?' vraagt Linda.
'Tompoezen.' Haar moeder kijkt haar smekend aan. 'Wil jij...'

'Nee,' antwoordt Linda. 'Ik heb gisteren die roomsoezen ge-
bracht.'
'Groot gelijk,' zucht haar moeder, 'je bent verder dan ik.'
'Maar ik hoorde jou ook nee zeggen tegen oma.'
'Ze vroeg of ik het niet zou vergeten, dus zei ik 'nee...'
Linda lacht. Haar moeder ook, maar niet van harte.
Die pakt vastberaden het boek weer op en laat de titel zien.
'Ik ben pas op de helft. Wacht maar als ik het uit heb, dan zul je
wat beleven!'

De volgende ochtend staat Debbie vroeg voor de deur met een
gezicht alsof ze een hoofdprijs heeft gewonnen.
'Ik heb groot nieuws,' zingt ze. 'Je mag raden.'
Maar Linda is nog te slaperig om te raden.
'Papa en mama zijn weer bij elkaar.'
Daar wordt Linda toch wel even wakker van.
'Echt?'
Debbie knikt stralend.
'Mama zei dat Fred de grootste vergissing in haar leven is ge-
weest.'
Daar is Linda het meteen mee eens.
'En dat ze nog steeds van papa houdt. En papa houdt nog steeds
van mama. Hij probeerde het van niet, zei die, maar hij kon het
niet laten. Mama zit in z'n bloed, zei die.'
'In z'n bloed? In z'n hart bedoelt-ie zeker.'
'Nee, hij zei in z'n bloed, dus is het zo. En ze hebben de hele nacht
zitten praten, zoveel hadden ze mekaar te vertellen,' glundert
Debbie.
Linda's moeder wordt meteen op de hoogte gebracht. Die geeft
Debbie twee klapzoenen.
'Ik ben blij voor je, kind,' zegt ze hartelijk. 'Hier, neem gauw een
lekkere krentenbol.'
Dat wil Debbie wel. Een krentenbol heeft haar nog nooit zo
goed gesmaakt.

Op dezelfde tijd belt Bram aan bij meester Hans.
'Ik moet u iets belangrijks vertellen,' zegt Bram.

'Zo vroeg?' vraagt meester Hans. Hij komt net uit bed, zijn haar staat recht overeind.

'Ik ben hier gisteravond ook al geweest, maar u was niet thuis.'

'Klopt, ik was uit met Mariek en het werd een latertje,' gaapt de meester. 'Kan het nieuws echt niet wachten tot vanmiddag?'

'Nee,' zegt Bram beslist, 'het is dringend.'

'Kom dan maar mee naar de keuken, ik moet nog ontbijten.'

Terwijl de meester water opzet voor de thee, begint Bram te vertellen. Tegen de tijd dat hij klaar is, staat de ketel droog te koken op het gas.

'Vanmiddag om vijf uur moeten we bij de meester komen,' geeft Bram door in de pauze. 'We mogen er met niemand over praten.'

Om kwart voor vijf staan ze al op de stoep; Linda, Jerry, Achmed, Bram en Hassan.

De meester laat hen vlug binnen.

'Er komen er nog een paar,' vertelt hij. Dat zijn Mariek, Schele Piet en een vreemde meneer.

'Ik ben van de politie,' legt de man uit.

Bram moet het hele verhaal opnieuw vertellen.

'Wilt u een chronologisch verslag?' vraagt hij.

'We houen het wel eenvoudig, hè professor,' zegt Schele Piet, 'niks niet moeilijk vandaag, we motten het allemaal kenne snappen.'

Bram gaat van start. Hij is zo glashelder, dat zelfs Hassan het kan volgen. Hij laat de knoop zien, de tekeningen van Hassan en vertelt van Linda's huiszoeking. Hij vergeet alleen te melden dat hij niet thuis was toen Debbie hem opbelde, en dat Linda haar met een smoes de deur moest uitwerken.

'Dat is niet belangrijk,' zegt hij als Linda hem in de rede valt.

'O, nee? Voor mij toevallig wel. Al m'n zakgeld ging eraan.' De politieman luistert en bekijkt alles nauwkeurig. Hij vergelijkt de aantekeningen van Bram met die in het blocnootje.

'U heeft wel een stel uitgeslapen kinderen in de klas,' zegt hij tegen meester Hans.

'Ik mag niet mopperen.'

Meester Hans kucht bescheiden, maar iedereen ziet hoe trots hij is.

'Ik zal open kaart met jullie spelen,' zegt de man, 'maar ik wil jullie woord dat je er met niemand over spreekt.'

Jerry steekt onmiddellijk twee vingers de lucht in. Linda volgt zijn voorbeeld, en omdat die twee het doen steekt de rest zijn vingers ook op; al begrijpt Hassan niet waarom.

'Volgens de gegevens in het blocnootje zal aanstaande zaterdag een inval plaatsvinden in de Sint-Jansschool in de Haringstraat.'

'Da's de school van m'n zus,' vertelt Jerry enthousiast.

'Geen woord hierover met je zusje, begrepen,' zegt de man streng.

'Ik kijk wel uit,' roept Jerry.

'De politie zal ze die avond opwachten. We vermoeden dat we te maken hebben met een goed georganiseerde bende.'

'Dat denkt Bram allang,' zegt Achmed.

'Mogen wij er ook bij zijn?' vraagt Jerry, 'we kunnen ons verstoppen in de school.'

'Geen sprake van,' zegt de man. 'Dit is politiewerk. Deze mensen deinzen er niet voor terug moedwillig dieren te doden. Dan zijn ze ook in staat tot ergere dingen. We nemen geen enkel risico.'

De kinderen zijn teleurgesteld.

'Mijn wordt de toegang tot de school ook door hogerhand verboden,' zegt Schele Piet, 'maar gelukkig woont een makker van me schuin tegenover de Sint-Jansschool, dus reken maar dat ik die avond een pilsje bij hem ga drinken.'

'Maar geen woord erover,' waarschuwt de politieman.

'Ik zwijg als m'n staartklok. En die zwijgt al twintig jaar,' zegt Schele Piet.

'Dan is het goed.'

'En wanneer horen we hoe het afgelopen is?' wil Linda weten.

'Zondag,' zegt de meester. 'Zondagochtend om tien uur mogen jullie weer allemaal hier komen. Dan praten we verder.'

Jerry en Achmed

Het is zaterdagavond elf uur.

Hassan probeert wakker te blijven, maar het lukt niet. Bij Linda is het net andersom. Die doet van alles om te kunnen slapen. Maar hoe ze haar ogen ook dichtknijpt, de slaap blijft uit.

Dan rinkelt de telefoon. Ze zit meteen rechtop in bed. Zou er nieuws zijn? Geen nieuws, het is oma.

'Ja moeder,' hoort Linda en dan: 'Nee moeder' en nog een keer 'nee moeder.'

Even stilte.

'U hoort het goed, moeder. Ik zeg NEE.'

Het woord wordt duidelijk gespeld. Linda kan het nauwelijks geloven.

'Waarom ik geen moorkoppen kom brengen? Omdat het elf uur 's avonds is en ik naar bed wil. Nee, moeder, ik-doe-het-niet!'

Even is het stil.

'Het is maar een kleine moeite, zegt u? Voor mij niet. Het is NEE, en het blijft NEE. Dag moeder, slaap lekker.'

Bam, de hoorn erop.

Niet te geloven! Linda knipt het licht aan en loopt naar de gang. Daar staat haar moeder naast de telefoon, die opnieuw rinkelt.

'Ben jij het weer moeder? Nee, ik kom niet. Goed, dan ben ik maar hard. Ik ben niet alleen hard, maar ook slaperig. Ik wil je best moorkoppen brengen, maar dan als het míj uitkomt, en niet om elf uur 's avonds. Dag, moeder.'

Weer bam met de hoorn. Opnieuw krijst de telefoon.

Linda's moeder trekt met een forse ruk de stekker uit het stopcontact.

Dan ziet ze Linda.

'Slaap je nog niet?'

'Ik hoorde je nee zeggen tegen oma,' zegt Linda vol bewondering.

'Ja, maar 'k sta te trillen op m'n benen,' bekent haar moeder. 'Nu zit oma zich natuurlijk op te vreten.'

'Maar anders doe jij het.'

'Dat wel, maar 'k weet niet wat van de twee het beste, of eigenlijk het slechtste is,' zucht haar moeder onzeker.

Linda merkt dat ze gaat aarzelen. 'Zal ik toch maar niet...'

'Nee,' zegt Linda.

'Je hebt gelijk. Ik wist niet dat nee zeggen zo moeilijk is.'

'Als je 't vaker doet went het vast wel.'

'Misschien,' antwoordt haar moeder. Je ziet aan haar gezicht dat ze het hoopt.

'Ik kan niet slapen,' zegt Linda, 'mag ik nog even opblijven.'

'Nee,' zegt haar moeder, 'het is bijna middernacht.'

'Zie je wel dat je 't leert,' lacht Linda. Ze geeft haar moeder een zoen en zoekt haar bed weer op.

Ook Bram doet geen oog dicht. Hij leest een boek over het leven van de Indianen, maar telkens dwalen zijn gedachten af. Hij denkt aan de SintJansschool, aan Linda en Hassan. En wat zouden Jerry en Achmed op dit ogenblik doen? Die slapen waarschijnlijk allang.

Maar daar vergist Bram zich in.

Jerry en Achmed zijn klaarwakker. Ze zitten verscholen in een donker portiek, pal tegenover de Sint-Jansschool.

'Zouen ze erachter komen?' fluistert Achmed.

'Wie? De politie?'

'Nee, m'n ouders natuurlijk.'

Wat kan die jongen zaniken, denkt Jerry.

'Zouen ze erachter komen?' vraagt Achmed voor de twintigste keer. Jerry geeft geen antwoord meer.

'Nou?' Achmed geeft Jerry een por in zijn ribben.

'Au!'

'Niet zo hard.'

'Dan moet jij niet zo stompen.'

'Denk je dat...' begint Achmed weer.

'Je lijkt wel een automaat,' snauwt Jerry, 'als ze erachter komen krijgen we een pak op ons duvel, nou en... Je moet er iets voor over hebben.' Die stomme Achmed, wat zit-ie nou te zeuren, hij wou zelf mee.

Hij, Jerry, heeft het allemaal bedacht.
'Als ik zaterdagavond nu eens zogenaamd bij jou slaap,' zei hij tegen Achmed, 'dan ga ik kijken bij de Sint-Jansschool. Het wordt vast spannend.'
'Maar de politie heeft het verboden!' riep Achmed.
'We mochten niet *in* de school. Over *buiten* de school hebben ze niks gezegd.'
'Ja, dat is zo,' zei Achmed. 'Ik ga met je mee. Dan logeer ik die nacht zogenaamd bij jou.'

Eerst gingen ze de buurt verkennen en zochten een portiek uit, recht tegenover de Sint-Jansschool.
Jerry's moeder bakte die zaterdag een chocoladetaart voor Achmeds moeder, en Achmeds moeder kocht een bos tulpen voor Jerry's moeder.
'Vergeet je tandenborstel niet,' zei Jerry's moeder, 'en gedraag je netjes.'
'Vergeet je pyjama niet,' zei Achmeds moeder tegen Achmed, 'en wees vooral beleefd.'

Om half acht 's avonds ontmoetten ze elkaar voor de fietsenwinkel van meneer Hendriks.
Achmed wilde de bloemen meteen in een container gooien.
'Zonde,' riep Jerry, 'daar weet ik wel iemand voor. Carola van de ijssalon, die is hartstikke aardig.'
Even later stonden ze voor de ijssalon. Jerry stapte naar binnen, terwijl Achmed buiten bleef wachten met de taart.
Het was niet druk. Carola stond achter de toonbank.
'Voor jou.' Jerry liet Carola zijn breedste glimlach zien.
'Voor mij? Aardig van je.' Carola lachte even breed terug.
'Je krijgt ze eigenlijk van Achmed, maar hij durft ze niet te geven. Hij is een beetje verlegen, weet je.'

114

Jerry wees naar buiten, waar Achmed nog steeds stond te wachten. Carola liep naar de deur.

'Bedankt voor de bloemen, Achmed. Hebben jullie soms zin in een ijsje?'

Daar had Jerry op gehoopt.

'Ja, vooral in een sorbet!' riep hij.

Carola maakte twee sorbets met slagroom. Achmed kon geen hap naar binnen krijgen van de zenuwen, dus at Jerry de zijne ook maar op.

'Denk je dat ze erachter komen?' begon hij.

'Waarachter?' vroeg Jerry.

'Dat ik niet bij jou ben.'

'Maar je bent toch bij mij?'

'Niet in jouw huis.' Achmed gluurde angstig om zich heen. 'Misschien ziet iemand ons.'

'Nou, en... Ze kunnen ons toch niet verbieden een sorbet te eten die we cadeau krijgen?'

Achmed was blij dat hij weer buiten stond, maar hij werd er niet geruster op.

'Het blijft zo lang licht,' klaagde hij.

'Het wordt vanzelf donker, zul je zien.'

Ze zwierven door onbekende straten en aten de helft van de chocoladetaart op.

Ook kregen ze nog ruzie, omdat Achmed misselijk werd.

'Dat komt van de chocoladetaart,' beweerde hij.

'Dat komt omdat jij een bange schijterd bent,' zei Jerry.

Zo gingen ze nog even door. Achmed voelde zich zo ziek dat hij dacht dat hij doodging.

'Die taart was vast bedorven,' kreunde hij met zijn handen op zijn maag.

'Bedorven?' Jerry wilde al uithalen.

'Het was maar een geintje,' zei Achmed vlug. Hij begon opeens als een idioot te hikken en kon niet meer ophouden. Dat werkte erg op Jerry's zenuwen, vooral omdat Achmed nu hikkend zat te klagen.

Gelukkig werd het donker. Nou zal hij wel ophouden, dacht Jerry. Maar nee.

'Als de politie h-ons ziet worden we vast h-opgepakt h-omdat we zo laat h-op straat lopen,' hikte Achmed angstig.

'Als je nog één woord zegt, laat ik je staan en ga ik alleen verder,' dreigde Jerry.

Daar schrok Achmed zo van dat hij vijf minuten lang zijn mond hield en zo zachtjes mogelijk probeerde te hikken.

Nu zitten ze hier, onder een trap in een portiek, tegenover de school.

Ze wachten zeker al een uur.

Achmed hikt niet meer, maar klaagt nog wel. Dat hij het zo koud heeft.

'Ik ook,' snauwt Jerry, 'ik zie blauw van de kou.'

'Kan niet,' zegt Achmed, 'alleen blanken kunnen blauw zien van de kou. Zwarten niet.'

'Wel waar,' zegt Jerry, 'donkerblauw.'

Daar moet Achmed om lachen, maar niet lang, want boven hun hoofd horen ze een deur opengaan. Een vrouw komt naar buiten met een hondje. Het hondje staat stil onder aan de trap en begint te snuffelen. Gelukkig heeft de vrouw hem aan de lijn.

'Wat heb je toch?' bromt de vrouw, 'kom, je moet uit.'

Maar het hondje heeft geen zin, dat wil achter de trap kijken. De vrouw tilt hem op en draagt hem de straat in.

Achmed begint te klappertanden.

'We worden vast ontdekt door die rothond,' bibbert hij.

'Hij ruikt de taart natuurlijk.' Jerry pakt de doos en kruipt uit hun schuilplaats. De straat ligt er rustig bij, de vrouw en het hondje slaan een hoek om.

Jerry schuift de doos voorzichtig een eindje de stoep op. Zo, die is hij kwijt.

Tegenover hen ligt de Sint-Jansschool, groot en vierkant, met daarvoor een plein, omgeven door een muurtje. Er is geen leven te bekennen.

Dan ziet Jerry een jong stelletje uit een zijstraat komen, met de armen om elkaar heen. De verlichting is schaars, maar als ze onder een lantaarn lopen, herkent hij ze. Het zijn de meester en Mariek! Hij ziet hoe ze een portiek induiken.

116

'Weet je wie ik heb gezien?' fluistert hij opgewonden als hij weer bij Achmed is, 'raad je nooit!'
'De politie?'
'Nee, de meester en Mariek. Ze staan in een portiek, wat verderop.'
Nu krijgt Achmed het helemaal benauwd.
'Als hij weet dat we hier zitten, krijgen we morgen ervan langs, zul je zien.'
'Maar hij weet het toch niet,' zegt Jerry zorgeloos, 'of jij moet het hem gaan vertellen.'

Dan komt de vrouw terug met het hondje. Het hondje ontdekt meteen de chocoladetaart.
'Wie zet er nou een halve taart zomaar op de stoep,' moppert de vrouw, 'de wereld wordt steeds gekker.'
Ze gaan weer naar binnen en dan wordt het weer rustig, akelig rustig en koud.
'Er gebeurt vast niks,' klappertandt Achmed, 'zitten we hier voor nop.'
Maar Achmed krijgt geen gelijk.

Politie in actie

Opeens floepen in de school de lichten aan. Achmed krijgt van schrik weer de hik.

'Ik zie wat bewegen,' fluistert Jerry opgewonden. Hij komt achter de trap vandaan en drukt zich tegen de muur van het donkere portiek. Ook Achmed komt aarzelend te voorschijn.

Gespannen blijven ze wachten, maar er gebeurt een tijdje niks. Totdat ze voetstappen horen, snelle stappen. Iemand rent het schoolplein over.

'Staan blijven,' beveelt een stem.

Hoewel het vrij donker is, zien Achmed en Jerry een man rennen over het schoolplein. Hij springt het stenen muurtje over.

'Blijf staan of ik schiet,' roept de stem nu.

De man rent alleen maar harder.

Jerry bedenkt zich geen ogenblik. Hij stuift het portiek uit en neemt een sprint.

Tackelen... Dat is het enige waar hij aan denken kan.

De vluchtende man heeft Jerry nog niet opgemerkt. Hij kijkt schuin over zijn linkerschouder naar de agent die hem achtervolgt. Pas als Jerry vlakbij is krijgt hij iets kleins en donkers in het oog. Hij aarzelt een seconde en daar maakt Jerry onmiddellijk gebruik van. Razendsnel haalt hij hem onderuit.

Gevloerd! flitst het triomfantelijk door Jerry heen.

De man krabbelt haastig overeind, vloekt, en Jerry voelt een dreun tegen zijn oog. Alles begint hem te duizelen en hij zwaait een ogenblik raar heen en weer. Dan wordt de omgeving nog donkerder dan hij al is.

'Jerry!' gilt Achmed en holt naar hem toe.

Achmed is niet de enige, want ineens gaan van alle kanten deuren open en komen er mensen opdagen.

Daar is Schele Piet die zich boven op de man werpt. Er wordt geschreeuwd en gegild en ze horen het geloei van een politieauto.

Jerry ligt languit op de stoep. Zijn oog steekt gemeen, maar hij hoort en ziet alles. Hij maakt mee dat de man wordt vastgegrepen, al spartelt hij nog zo tegen. Ook vangt hij een glimp op van een paar anderen die de politieauto worden ingeduwd. Het gaat jammer genoeg allemaal veel te vlug.

'Jerry! Wat doe jij hier?' De meester knielt naast hem neer.

'Ik lig, mees,' piept Jerry. 'Hebben ze de boeven?'

'Ja... ja... Maar jij... heb je pijn?'

'Nogal, mees...' Als hij nee zegt krijgt hij op z'n kop. De meester gaat vast niet schelden tegen iemand die gewond is.

Schele Piet tilt Jerry op.

'Ken je nog lopen?' vraagt hij.

'Een beetje,' antwoordt Jerry.

'Ik breng hem wel even naar m'n makker op nummer 51,' zegt hij tegen de omstanders.

'Mag Achmed ook mee? vraagt Jerry. Hij hoort hoe de meester tekeergaat tegen Achmed.

Op nummer 51 wordt Jerry op een stoel gezet.

'Alles zit d'r nog op en aan,' stelt Schele Piet iedereen gerust.

Een van de agenten is ook meegekomen. Hij vertelt hoe vijf mensen op heterdaad zijn betrapt. Op het moment dat ze zouden beginnen de boel te bekladden en vernielen, doken de agenten op, die zich hadden verborgen.

Eén dader wist toch nog te ontsnappen, maar dank zij Jerry's tackel konden ze ook hem inrekenen.

De agent wijst naar Jerry, die druk bezig is een gezwollen oog te krijgen.

'Zijn het dezelfden die ook de vissen en konijnen in onze school hebben doodgemaakt?' wil Jerry weten.

'Daar zullen we gauw genoeg achter komen,' antwoordt de agent.

Dan moet Achmed vertellen wat ze zo laat in de Haringstraat deden, maar Achmed krijgt er geen woord uit. Die krijgt weer de hik.

'Het is mijn schuld,' zegt Jerry. 'Ik wou zien hoe ze de boeven vingen...' Hij durft niet naar de meester te kijken.
'Weten jullie ouders hiervan?' vraagt de meester.
'Tuurlijk niet,' roept Jerry. 'We mochten toch niks vertellen. Ik heb gezegd dat ik bij Achmed slaap en Achmed heeft gezegd dat hij bij mij slaapt.'
'Mooi is dat,' zegt de meester, die het toch wel een slim idee vindt, 'hoe voel je je nu?'
'Veel beter, mees.'
'Ik breng jullie wel naar huis,' zegt de agent.
'Met een politieauto met zwaailichten?' Jerry's ene oog glanst van opwinding.
'Zonder,' zegt de agent. 'Ik denk dat er thuis al genoeg zal zwaaien voor jullie.'

Het is Bianca, die ontdekt dat Jerry zijn tandenborstel is vergeten. Dat niet alleen. Ook zijn pyjama heeft hij thuis laten liggen.
'Toe, breng die even naar Achmed, wil je?' zegt Jerry's moeder.
''k Zal wel gek zijn,' antwoordt Bianca, ''t is al half elf, Jerry ligt allang in bed.'
'Maar dan slaapt hij zonder pyjama.'
'Daar gaat hij heus niet dood van.'
'Dan denken ze vast dat alle Surinamers zonder pyjama slapen en nooit hun tanden poetsen.'
'Moeten zij weten, mij een zorg.'
Bianca gaat languit voor de televisie liggen, er komt een spannende film.
Maar Jerry's moeder vindt dat toch vervelend. Daarom stopt ze de pyjama en tandenborstel in een plastic tasje en gaat naar Achmed. Hoort ze meteen of de taart lekker was.
'Jerry heeft zijn pyjama en tandenborstel thuis laten liggen,' vertelt ze, als ze aanbelt.
Achmeds moeder begrijpt er niks van.
'Komt u binnen,' zegt ze.
In de kamer zitten drie broers van Achmed voor de televisie.
'Liggen de jongens al in bed?'
'Dat kan ik beter aan u vragen.'

Nu is het de beurt van Jerry's moeder om het niet te begrijpen, maar het duurt niet lang of ze snappen alle twee dat Jerry en Achmed noch bij de één, noch bij de ander zijn.

Ze kijken elkaar angstig aan.

De televisie gaat uit en de broers beginnen hard te praten. Dan komt meneer Mustafa, Achmeds vader, binnen. Die gaat zelfs schreeuwen.

'Misschien zijn ze bij Schele Piet,' veronderstelt iemand. Een van de broers gaat kijken, maar Schele Piet is niet thuis.

Ze bellen de meester op. Daar wordt de telefoon niet opgenomen. En intussen kruipen de wijzers van de klok vooruit.

Jerry's moeder begint te huilen en Achmeds moeder te hikken. 'Dat doe ik h-altijd als ik in de hiekhak zit,' hikt ze. Ze wil 'piepzak' zeggen, maar Jerry's moeder is zo van streek dat ze het verschil niet eens hoort.

'Waar kunnen ze toch uithangen?' snikt Jerry's moeder.

'Wie weet zitten ze intussen bij u thuis,' bedenkt een van de broers.

Ze lopen allemaal met haar mee, maar bij Jerry treffen ze alleen Bianca aan, die nog steeds languit voor de televisie ligt.

'Jerry en Achmed zijn verdwenen,' jammert Jerry's moeder.

'Die komen heus wel weer boven water,' zegt Bianca zorgeloos. Ze grijnst naar de broers, vooral naar de jongste.

'Maar het is al half twaalf!'

Bianca haalt haar schouders op. Wat een drukte om die twee pestjochies.

'Misschien zijn ze bij Bram,' zegt ze, 'je weet wel, dat kleine opdondertje met dat achterlijke brilletje.'

Daar hebben de broers nog niet eens aan gedacht. Ze gaan er meteen op af.

Bij Bram slaapt de hele familie al, alleen Bram is nog wakker. Hij hoort de bel en loopt haastig naar de voordeur.

'Zijn Achmed en Jerry hier?' vragen de broers tegelijkertijd. Het lijkt of ze een vers opzeggen.

'Nee,' antwoordt Bram, terwijl hij zijn pyjamabroek ophijst.

'Weet je soms waar ze zijn?' zingen ze in koor.

'Ook niet,' zegt Bram; maar hij krijgt een angstig vermoeden.
De broers druipen weer af. Wat nu? De politie waarschuwen?
Dat moeten ze eerst met hun vader overleggen.
Onderweg winden ze zich ontzettend op. De oudste wil Achmed een week lang opsluiten en de tweede is van plan al zijn ribben te breken. Tegen de tijd dat ze weer bij Jerry zijn, is er niet veel meer van Achmed over.

Bianca staat humeurig voor het raam. Ze kan niet eens televisie kijken in die herrie, iedereen schreeuwt door elkaar.
Net als Achmeds vader en de broers hebben besloten de politie in te schakelen, ziet ze een auto stoppen voor de deur. Een agent stapt uit met Achmed en Jerry.
'Daar zijn ze,' zegt Bianca, maar niemand hoort haar.
Daarom slentert ze naar de voordeur en doet hem open vóór er wordt aangebeld.
'Ik kom twee jongens brengen,' zegt de agent.
'Kunt u ze niet houden?' vraagt Bianca, 'ben ik ze kwijt.'
'Iedereen is laaiend,' waarschuwt ze, 'reken maar dat je een pak op je donder krijgt.'
Jerry heeft het opeens benauwd. Hij pakt de arm van de agent en kijkt hem met zijn ene oog smekend aan.
'Help ons alsjeblieft.' Zijn stem trilt.
De agent zegt niks en stapt de kamer in.
Zodra de moeders hun zoons zien storten ze zich op hun kinderen en drukken die zo stijf tegen zich aan dat ze bijna stikken.
Meneer Mustafa en de broers beginnen te schreeuwen, maar de agent roept: 'Rustig… rustig, mensen. Stilte graag…'
De agent vertelt in het kort dat dank zij Achmed en Jerry, en een paar andere kinderen, de politie hedenavond een zaak heeft kunnen oplossen die iedereen wekenlang heeft beziggehouden. Dat Jerry en Achmed zelfs een ontvluchte dader te lijf zijn gegaan, vandaar het gezwollen oog van Jerry. Dat ze trots op hun kinderen mogen zijn, ook al hadden die allang in bed moeten liggen.
Dat maakt indruk, nog het meeste op Jerry en Achmed.
Die moeten, als de agent weg is, het hele verhaal vertellen. Ze halen alles door elkaar, maar dat geeft niet.

Jerry krijgt ijsblokjes op zijn oog en de broers kloppen Achmed trots op zijn schouder.

Jerry's moeder gaat koffie en thee maken, en Bianca smeert broodjes met Achmeds broer, want iedereen krijgt ineens honger.

'Ik wil naar bed,' gaapt Jerry om twee uur, 'mag Achmed hier slapen?'

'Hij heeft geen pyjama bij zich,' zegt Achmeds moeder.

'Geeft niet, hoor,' zegt Bianca, 'Surinamers slapen toch altijd in hun nakie.'

'Bianca!' waarschuwt haar moeder.

'Turken houden hun schoenen aan 's nachts,' vertelt Achmeds broer met een stalen gezicht, 'wist je dat?'

Bianca grijnst breed. Ze vindt Achmeds broer met de minuut leuker.

'Zullen we die pestjochies naar bed brengen?' vraagt ze, 'kunnen we ze nog even lekker treiteren.'

Achmeds broer springt meteen overeind.

Maar Jerry heeft de deur van zijn kamer al op slot gedaan, en die blijft op slot, hoe hard Bianca ook bonkt.

'Het is vreselijk om een zus te hebben,' geeuwt Jerry.

'Drie broers zijn ook niet alles,' gaapt Achmed.

Daarna vallen ze als een blok in slaap en worden zondagochtend om kwart voor tien pas wakker.

Punt uit

Zondagochtend, half twaalf.

Linda is op weg naar Debbie, en Debbie op weg naar Linda.

Op de hoek van de straat botsen ze tegen elkaar op.

'Ik moet je wat vertellen,' gooit Linda eruit.

'Ik jou ook,' zegt Debbie.

'Ik had een geheim voor je,' bekent Linda. 'Het is een heel lang geheim, moet je horen...'

Ze begint bij de knoop die ze in de klas vond, de ochtend na de inbraak. Een knoop met een adelaar erop, die ze aan Hassan gaf.

Ze vertelt wat Hassan ontdekte op de markt. Daarna aarzelend, van de huiszoeking, het blocnootje, en de aantekeningen van Bram.

Dan van gisteravond... Hoe de politie een inval heeft gedaan in de SintJansschool. Ze vertelt van Jerry en Achmed die zich verscholen hadden in een portiek. Jerry, die zó'n oog heeft omdat hij een van de daders heeft gevloerd.

Debbie is opvallend zwijgzaam. Ze onderbreekt Linda niet één keer.

'En weet je wie de daders zijn?' vraagt Linda tenslotte.

'Ja,' antwoordt Debbie.

'Wat???' Linda's mond zakt open.

'Fred Bruins, en de zoon van meneer Hendriks, de fietsenmaker, en Steven de Groot, de oudste broer van Henk, die bij ons in de klas zit en...'

'Hoe... hoe weet je dat?' valt Linda haar in de rede.

'Van mijn moeder, die is erachter gekomen. Ook daarom wilde ze niks meer te maken hebben met Fred. Ze heeft alles aan papa verteld en die is gisteren naar de politie gestapt.'

Linda staat versteld.

124

'Ik kom net bij meester Hans vandaan,' gaat Linda verder. 'Daar was de politie ook. Die zei dat ze hebben bekend. Het was een ge... georganiseerde bende, die de "De Adelaars" heetten. Kinderen boven de twaalf konden daar ook lid van worden. Die moesten dan banden doorprikken en zo, en buitenlanders pesten en aanvallen, wat ze bij Hassan dus ook hebben gedaan.'

'Denk je dat Henk lid was van "De Adelaars"? vraagt Debbie.

'Nee, dat niet. Maar hij heeft wel geholpen. Hij heeft de knop omgedraaid in de bezemkast, zodat het licht aan de achterkant van de school het niet deed. Dat ontdekte Bram, weet je nog?... Ook heeft hij het raampje in de kelder opengezet, zodat ze makkelijk naar binnen konden.'

'Dat rotjoch,' zegt Debbie. 'En hij deed net of hij het erg vond van die dieren.'

'Ik denk wel dat hij dat meende,' zegt Linda. 'Hij had vast nooit gedacht dat ze zoiets zouden doen. Daarom sloofde hij zich zo uit op de markt, daar heeft-ie al zijn strips verkocht. Hij wou natuurlijk iets goedmaken.'

'En toch vind ik het een rotjoch,' blijft Debbie volhouden, 'en ik vind het ook zielig voor meneer Hendriks, die is hartstikke aardig.'

'Ja, hij gaf nog wel honderd gulden voor een nieuw aquarium.'

'Denk je dat hij het wist dat zijn zoon...'

'Nee, de politie vertelde dat hij er helemaal kapot van was.'

Ze turen alle twee zwijgend voor zich uit. Er is een heleboel om over na te denken.

De straat ligt er nog slaperig bij op de late zondagochtend en de lucht staat op regen.

'We hadden eigenlijk hetzelfde geheim,' merkt Debbie op. 'Jij had het alleen langer. Ik wist het gisteravond pas.'

'Ik vond het helemaal niet leuk een geheim voor jou te hebben,' zegt Linda, 'want jij bent mijn beste vriendin.'

'Maar je kon niet anders,' merkt Debbie schrander op, 'om mijn moeder natuurlijk.'

Linda knikt. Ze is blij dat Debbie het begrijpt en niet boos is.

'Ben ik echt jouw beste vriendin?' vraagt Debbie.

'Weet je allang.'

'Zelfs al was mijn moeder...' Ze begint te stotteren. 'En... en Fred...'

'Dat heeft er niks mee te maken. Jij bent gewoon mijn beste vriendin. Punt uit!'

'Maar de anderen?' Debbie kijkt haar onzeker aan.

'Welke anderen?'

'Jerry, Bram en Hassan en...'

'Die vonden het ook helemaal niet leuk een geheim voor je te hebben, want jij hoort erbij.'

'Zelfs al is mijn moeder...' begint Debbie weer, 'en Fred...'

'Wat zeur je nou,' zegt Linda. 'Jij hoort gewoon bij ons. Punt uit. Iedereen wacht trouwens op je.'

'Waar?'

'Bij de meester. Mariek en Schele Piet zijn er ook.'

Debbies gezicht klaart helemaal op. Ze begint meteen te rennen.

'Hee, niet zo hard,' hijgt Linda. 'Je weet toch dat ik een dikke papzak ben?'

Debbie blijft staan en wacht.

'Ik weet alleen dat ik jou het aardigste vind van iedereen. Punt uit!' zegt Debbie.

Linda lacht. Ze slaat haar arm om Linda's schouder en Linda slaat haar arm om Debbies schouder.

Zo lopen ze samen de straat uit, op weg naar de anderen.

Anke de Vries
(bio- en bibliografie)

Anke de Vries werd geboren in Sellingen (Groningen), in de Sinterklaasnacht van 1936. Haar jeugd bracht zij door op de Veluwe. Na haar middelbare schoolopleiding in Ede ging ze reizen, onder andere naar Frankrijk en Griekenland. Zij trouwde jong met een Fransman en woonde na haar huwelijk een aantal jaren in het buitenland, onder andere in Pakistan. Ze hebben drie kinderen: een zoon en twee dochters.

Sinds 1963 woont zij met haar gezin in Den Haag. Eerst in het centrum van de stad, waar zij nauw betrokken was bij buurtactiviteiten. Daarna verhuisde de familie naar een buitenwijk, vlak aan zee.

Haar echtgenoot moedigde Anke de Vries aan om te gaan schrijven en in 1972 verscheen bij Lemniscaat haar eerste boek: **De vleugels van Wouter Pannekoek**, geïllustreerd door haar man. Dit boek werd meteen door de Haagse kinderjury bekroond. Zowel **De vleugels van Wouter Pannekoek** als haar volgende boek **Het geheim van Mories Besjoer** werden geïnspireerd door haar belevenissen in de Haagse binnenstad. Voor **Het geheim van Mories Besjoer** ontving Anke de Vries een *Zilveren Griffel*.

Met haar derde boek **Belledonne kamer 16** richt Anke de Vries zich op een wat ouder publiek. Het boek speelt zich af in Frankrijk, een land dat zij zeer goed kent via haar man en zijn familie en waarvan zij zei 'hier ben ik thuis'. Anke de Vries kwam op het idee om **Belledonne kamer 16** te schrijven toen haar zoon in de nalatenschap van haar schoonvader een oud reisverslag vond.

Ook de boeken **Weg uit het verleden**, **Medeplichtig** en **Opstand!** spelen zich af in Frankrijk. **Opstand!** speelt zich af aan het begin van deze eeuw in de Midi, een wijnstreek in Zuid-Frankrijk. De boeren protesteren tegen de goedkope wijn die wordt ingevoerd waardoor veel Franse wijnboeren failliet gaan. Het protest dreigt uit de hand te lopen. Dergelijke protesten hebben we ook in deze tijd, denk maar aan de boeren die in opstand kwamen tegen de E.E.G. bepalingen.

Voor de jongere kinderen schreef Anke de Vries **Bij ons in de straat**, **Wedden dat ik durf!** en **De Blauwe Reus**, waarin Florien de hoofdpersoon is.

In **Het Keteldier en andere verhalen** verzamelde Anke de Vries verhalen uit verschillende landen, die ze heeft naverteld. Deze verhalen werden geïllustreerd door Willemien Min.

Het idee om **Kladwerk** te schrijven kreeg Anke de Vries toen ze een lezing gaf op een school. Op deze school was net de nacht daarvoor ingebroken en was er van alles vernield. Dit gegeven verwerkte ze in **Kladwerk**. De Nederlandse Kinderjury bekroonde het boek in 1991.

Dat Anke de Vries moeilijke onderwerpen niet uit de weg gaat, bewijst ze weer met haar laatste boek **Blauwe Plekken**. Judith wordt vaak zomaar, zonder directe reden geslagen door haar moeder en kan er met niemand over praten. In 1993 werd dit boek in twee categorieën bekroond met de prijs van de Nederlandse Kinderjury. Voor de kinderboekenweek 1994 schreef Anke de Vries het kinderboekenweekgeschenk **Fausto Koppie**.